envie de...
cuisine
végétarienne

Bath · New York · Singapore · Hong Kong · Cologne · Delhi
Melbourne · Amsterdam · Johannesburg · Auckland · Shenzhen

Copyright © Parragon Books Ltd
Queen Street House
4 Queen Street
Bath, BA1 1HE
Royaume-Uni

Conception et réalisation : Terry Jeavons & Company

Copyright © Parragon Books Ltd 2007 pour l'édition française
Réalisation : InTexte, Toulouse

ISBN : 978-1-4075-1063-7

Imprimé en Chine

Une cuillerée à soupe correspond à 15 à 20 g d'ingrédients secs et à 15 ml d'ingrédients
liquides. Une cuillerée à café correspond à 3 à 5 g d'ingrédients secs et à 5 ml d'ingrédients
liquides. Sans autre précision, le lait est entier, les œufs sont de taille moyenne et le poivre
est du poivre noir fraîchement moulu. Les temps de préparation et de cuisson des recettes
pouvant varier en fonction, notamment, du four utilisé, ils sont donnés à titre indicatif.

La consommation des œufs crus ou peu cuits est déconseillée aux enfants, aux personnes
âgées, malades ou convalescentes, et aux femmes enceintes.

envie de...
cuisine
végétarienne

introduction

Le régime végétarien a été longtemps considéré comme un choix excentrique, synonyme d'ennui. Cependant, ces dernières années, le nombre des adeptes du végétarisme s'est accru, pour de multiples raisons. La plus évidente d'entre elles est le désir de ne plus consommer de chair animale ou de poisson. Toutefois, certains aspects médicaux sont également mis en avant : dans la colite chronique par exemple, la consommation de viande est souvent incriminée comme source du mal. La viande et le poisson peuvent se révéler chers, de sorte que même les non-végétariens préfèrent parfois prendre deux ou trois repas hebdomadaires sans viande.

Bonne nouvelle : le regain d'intérêt pour le végétarisme a amélioré son image dans l'univers de la gastronomie. Les chefs ont relevé le défi avec talent et ont concocté des recettes créatives. Les repas végétariens ont cessé d'être monotones !

Si vous venez d'adopter le végétarisme, soyez conscient qu'il ne suffit pas d'exclure la viande et le poisson de vos recettes habituelles. En effet, cette pratique vous priverait de vos protéines et d'autres éléments nutritifs qui sont essentiels à votre  santé et à votre bien-être. La viande et le poisson doivent être remplacés par d'autres protéines et aliments riches en nutriments, comme les haricots, les fruits à coque, le tofu et les produits laitiers. Si vous souffrez d'allergies à l'un de ces ingrédients, prenez conseil auprès de votre médecin ou d'un nutritionniste, afin de vérifier que vous ne porterez pas préjudice à votre santé au lieu de la préserver.

Que vous ayez décidé de devenir un « vrai » végétarien, que vous receviez simplement des végétariens à dîner ou que vous prépariez de temps  à autre un repas sans protéines animales, vous trouverez dans ce livre de fabuleuses idées glanées un peu partout dans le monde. Pour obtenir les meilleurs résultats, utilisez des ingrédients frais et de qualité, qui vous permettront de tirer le plus grand profit de votre alimentation, tout en vous garantissant un goût irréprochable.

entrées
& plats légers

De nombreux plats, parmi les plus célèbres au monde, se composent de légumes ; ce livre contient de superbes recettes de soupes, d'entrées et de sauces d'accompagnement pour les légumes crus. Testez la délicate soupe au cresson, la solide soupe aux haricots blancs et la roborative soupe des moines. Ici, vous ne trouverez nulle trace d'austérité, quel que soit le nom de la recette ! Confectionnez une série de tapas à base d'amandes salées, d'olives marinées, de purée d'aubergine, de champignons à l'ail, et de figues au bleu. Vous pouvez également commencer votre repas par des crudités, mélange rafraîchissant de céleri, de carottes et de betteraves qui chatouillera votre palais.

Certaines de ces recettes sont idéalement légères. Pour un brunch, un déjeuner ou une collation tardive, prévoyez des beignets de courgettes avec une sauce au yaourt, des soufflés au fromage et aux fines herbes ou des galettes de patates douces à la menthe et à la féta. Si vous appréciez la nourriture mexicaine, optez pour le guacamole ou les nachos aux haricots noirs, avant de tester l'houmous du Moyen-Orient et leq falafels au sésame. Ces plats contiennent assez de nutriments pour apaiser votre estomac pendant des heures ! Toutefois, en guise d'entrée parfaite, simple et élégante, servez des asperges avec du beurre fondu. Un régal !

amandes salées

ingrédients

225 g d'amandes entières,
mondées ou avec la peau
(*voir* méthode)

4 cuil. à soupe d'huile d'olive
espagnole

gros sel

1 cuil. à café de paprika
ou de cumin (facultatif)

méthode

1 Les amandes ont plus de goût avec la peau, mais sont plus agréables à consommer une fois mondées. Pour monder des amandes, mettre dans une terrine, couvrir d'eau bouillante et laisser reposer 3 à 4 minutes. Égoutter, plonger dans de l'eau froide 1 minute et égoutter de nouveau. Retirer la peau avec les doigts et sécher sur du papier absorbant.

2 Verser l'huile dans un plat allant au four, répartir dans le fond et ajouter les amandes. Mélanger de sorte qu'elles soient bien enrobées d'huile et étaler en une seule couche.

3 Cuire au four préchauffé 20 minutes à 180 °C (th. 6) en remuant plusieurs fois, jusqu'à ce qu'elles soient dorées. Égoutter sur du papier absorbant et transférer dans une terrine.

4 Parsemer immédiatement de gros sel, saupoudrer de paprika ou de cumin, et bien mélanger le tout. Servir chaud au froid. Ces amandes sont meilleures lorsqu'elles sont consommées le jour même, mais peuvent également être conservées 3 jours dans un récipient hermétique.

olives marinées

ingrédients

POUR 8 PERSONNES

450 g de grosses olives vertes
    non dénoyautées en boîte
    ou en bocal, égouttées

4 gousses d'ail, pelées

2 cuil. à café de graines
    de coriandre

1 petit citron

4 brins de thym frais

4 branches de fenouil

2 petits piments rouges frais
    (facultatif)

poivre

huile d'olive vierge extra
    espagnole, pour couvrir

méthode

1 Répartir les olives sur une planche à découper et écraser légèrement à l'aide d'un rouleau à pâtisserie de sorte que la marinade imprègne bien les olives. À défaut de rouleau à pâtisserie, inciser les olives dans la hauteur jusqu'au noyau. Écraser les gousses d'ail avec le plat d'un couteau. Piler les graines de coriandre dans un mortier. Couper le citron en petits morceaux sans retirer la peau.

2 Dans une grande terrine, mettre les olives, l'ail, les graines de coriandre, les morceaux de citron, le thym, le fenouil et les piments, mélanger le tout et poivrer. Les olives sont naturellement salées, il n'est donc pas nécessaire d'ajouter de sel. Transférer le tout dans un bocal hermétique en tassant bien, couvrir d'huile d'olive et fermer.

3 Laisser reposer 24 heures à température ambiante, mettre au réfrigérateur et laisser mariner 1 à 2 semaines. Secouer le bocal de temps en temps de façon à bien mélanger les ingrédients. Laisser les olives revenir à température ambiante, égouter et servir avec des piques à cocktail.

guacamole

ingrédients

POUR 4 PERSONNES

2 gros avocats mûrs

jus d'un citron vert, selon
     son goût

2 cuil. à café d'huile d'olive

1/2 oignon, finement haché

1 piment vert frais, épépiné
     et haché

1 gousse d'ail, hachée

1/4 de cuil. à café de cumin
     en poudre

1 cuil. à soupe de coriandre
     fraîche hachée, un peu
     plus pour garnir (facultatif)

sel et poivre

méthode

1 Couper les avocats en deux et retirer le noyau
en faisant levier à l'aide d'un couteau pointu.

2 Peler, hacher grossièrement la chair et mettre
dans une terrine non métallique. Ajouter le jus
de citron et l'huile, et bien mélanger.

3 À l'aide d'une fourchette, réduire en purée
grossière ou lisse, selon son goût. Incorporer
l'oignon, le piment, l'ail, le cumin et la coriandre
hachée, saler et poivrer.

4 Transférer dans un plat de service, garnir
de coriandre hachée et servir immédiatement
de sorte que l'avocat ne s'oxyde pas.

purée d'aubergine

ingrédients

POUR 6 À 8 PERSONNES

huile d'olive

1 grosse aubergine de 400 g,
     coupée en rondelles

2 oignons verts, finement
     hachés

1 grosse gousse d'ail, hachée

2 cuil. à soupe de persil plat
     frais haché

sel et poivre

1 pincée de paprika

pain frais, en accompagnement

méthode

1 Dans une poêle, chauffer 4 cuillerées à soupe d'huile à feu moyen à vif, ajouter les rondelles d'aubergine et cuire jusqu'à ce qu'elles soient dorées sur les deux faces. Retirer de la poêle et laisser refroidir de sorte que les rondelles dégorgent de l'huile.

2 Dans la poêle, chauffer 1 cuillerée à soupe d'huile, ajouter les oignons verts et l'ail, et cuire 3 minutes, jusqu'à ce que les oignons verts soient tendres. Retirer du feu, ajouter aux aubergines et laisser refroidir.

3 Transférer tous les ingrédients dans un robot de cuisine et mixer jusqu'à obtention d'une purée épaisse. Transférer dans un plat de service, incorporer le persil et rectifier l'assaisonnement. Servir immédiatement ou couvrir et mettre au réfrigérateur 15 minutes. Saupoudrer de paprika et servir immédiatement, accompagné de pain.

houmous

ingrédients

POUR 4 PERSONNES

115 g de pois chiches secs

3 à 6 cuil. à soupe de jus
de citron

3 à 6 cuil. à soupe d'eau

2 à 3 gousses d'ail, hachées

150 ml de pâte de sésame

sel

1 cuil. à soupe d'huile d'olive

1 cuil. à café de poivre
de Cayenne ou de paprika

1 cuil. à soupe de persil plat
frais haché

pain pita, rondelles
de tomates et mesclun,
en accompagnement

méthode

1 Mettre les pois chiches dans une grande terrine, couvrir d'eau et laisser tremper une nuit. Égoutter, transférer dans une casserole, couvrir d'eau et porter à ébullition. Laisser bouillir 1 heure, jusqu'à ce que les pois chiches soient tendres. Retirer du feu et égoutter.

2 Transférer les pois chiches dans un robot de cuisine et mixer en incorporant assez d'eau et de jus de citron pour obtenir une consistance souple et homogène.

3 Ajouter l'ail et mixer. Incorporer la pâte de sésame, saler selon son goût et ajouter de l'eau ou du jus de citron pour obtenir la consistance souhaitée.

4 Transférer dans un plat de service, arroser d'huile et saupoudrer de poivre de Cayenne ou de paprika.

5 Couvrir de film alimentaire, mettre au réfrigérateur et laisser reposer au moins 1 heure. Garnir de persil et servir accompagné de pain pita, de rondelles de tomates et de mesclun.

soupe de légumes au pesto

ingrédients

POUR 4 PERSONNES

1 litre d'eau froide

1 bouquet garni (1 brin
de persil, 1 brin de thym
et 1 feuille de laurier,
liés avec de la ficelle)

2 branches de céleri,
émincées

3 petits poireaux, émincés

4 petites carottes, émincées

150 g de pommes de terre
nouvelles, grattées
et coupées en morceaux

4 cuil. à soupe de fèves
écossées ou de petits pois

175 g de haricots cannellini
ou de flageolets, égouttés
et rincés

3 têtes de pak-choï

150 g de roquette

poivre

pesto

2 grosses poignées de feuilles
de basilic frais

1 piment vert frais, épépiné

2 gousses d'ail

4 cuil. à soupe d'huile d'olive

1 cuil. à café de parmesan
fraîchement râpé

méthode

1 Dans une grande casserole, verser l'eau,
ajouter le bouquet garni, le céleri, les poireaux,
les carottes et les pommes de terre nouvelles,
et porter à ébullition. Réduire le feu et laisser
mijoter 10 minutes.

2 Incorporer les fèves et les haricots, et laisser
mijoter encore 10 minutes. Ajouter le pak-choï
et la roquette, poivrer et laisser mijoter encore
2 à 3 minutes. Retirer le bouquet garni.

3 Pour le pesto, mettre le basilic, le piment,
l'ail et l'huile dans un robot de cuisine, mixer
par intermittence jusqu'à obtention d'une pâte
épaisse. Incorporer le parmesan.

4 Incorporer les trois quarts du pesto à la
soupe, répartir dans des bols chauds et garnir
avec le pesto restant. Servir immédiatement.

soupe aux haricots blancs

ingrédients

POUR 4 PERSONNES

175 g de haricots cannellini
  secs, couverts d'eau froide
  et mis à tremper 12 heures

1,6 l de bouillon de légumes
  ou d'eau

115 g de spirali

6 cuil. à soupe d'huile d'olive

2 gousses d'ail, finement
  hachées

4 cuil. à soupe de persil plat
  frais haché

sel et poivre

pain frais,
  en accompagnement

méthode

1 Égoutter les haricots, mettre dans une grande casserole et ajouter le bouillon. Porter à ébullition, couvrir partiellement et laisser mijoter 2 heures à feu doux, jusqu'à ce que les haricots soient tendres.

2 Transférer la moitié des haricots et un peu de jus de cuisson dans un robot de cuisine et réduire en purée homogène. Remettre dans la casserole, mélanger le tout et porter de nouveau à ébullition.

3 Ajouter les pâtes, porter de nouveau à ébullition et cuire 10 minutes, jusqu'à ce qu'elles soient *al dente*.

4 Dans une petite casserole, chauffer 4 cuillerées à soupe d'huile, ajouter l'ail et cuire 4 à 5 minutes à feu doux en remuant souvent, jusqu'à ce qu'il soit doré. Incorporer l'ail et le persil à la soupe, saler et poivrer. Répartir la soupe dans des assiettes à soupe chaudes, arroser de l'huile d'olive restante et servir immédiatement accompagné de pain frais.

soupe au cresson

ingrédients

POUR 4 PERSONNES

2 bottes de cresson
(environ 200 g),
bien lavé

40 g de beurre

2 oignons, hachés

225 g de pommes de terre,
pelées et grossièrement
hachées

1,25 l de bouillon de légumes
ou d'eau

sel et poivre

noix muscade, fraîchement
râpée (facultatif)

125 ml de crème fraîche,
de yaourt ou de crème
aigre

méthode

1 Séparer les feuilles des tiges du cresson, réserver les feuilles et hacher grossièrement les tiges.

2 Dans une grande casserole, faire fondre le beurre à feu moyen, ajouter les oignons et cuire 4 à 5 minutes, jusqu'à ce qu'ils soient tendres, sans laisser brunir.

3 Ajouter les pommes de terre et bien mélanger. Ajouter les tiges de cresson, mouiller avec le bouillon et porter à ébullition. Réduire le feu, couvrir et laisser mijoter 15 à 20 minutes, jusqu'à ce que les pommes de terre soient tendres.

4 Ajouter les feuilles de cresson et réchauffer sans cesser de remuer. Retirer du feu et mixer jusqu'à obtention d'une soupe fluide à l'aide d'un mixeur plongeant. À défaut, verser le tout dans un robot de cuisine, mixer et reverser dans la casserole. Réchauffer, saler, poivrer et saupoudrer de noix muscade fraîchement râpée.

5 Répartir dans des bols chauds et servir garni de crème fraîche, de yaourt ou de crème aigre.

bortsch

ingrédients

POUR 6 PERSONNES

1 oignon

55 g de beurre

350 g de betteraves crues,
     coupées en julienne,
     plus 1 betterave crue,
     râpée

1 carotte, coupée en julienne

3 branches de céleri,
     finement émincées

2 tomates, mondées,
     épépinées et concassées

2 grands brins d'aneth frais

1,5 l de bouillon de légumes

1 cuil. à soupe de vinaigre
     de vin blanc

1 cuil. à soupe de sucre

sel et poivre

115 g de chou blanc, ciselé

150 ml de crème aigre,
     en garniture

méthode

1 Couper l'oignon en rondelles. Dans une casserole, faire fondre le beurre à feu doux, ajouter l'oignon et cuire 5 minutes en remuant souvent, jusqu'à ce qu'il soit tendre. Ajouter les juliennes de betterave et de carotte, le céleri et les tomates, et cuire 4 à 5 minutes en remuant souvent.

2 Ajouter le vinaigre, le sucre et la moitié de l'aneth dans la casserole, mouiller avec le bouillon, saler et poivrer. Porter à ébullition, réduire le feu et laisser mijoter 35 à 40 minutes, jusqu'à ce que les légumes soient tendres.

3 Incorporer le chou, couvrir et laisser mijoter encore 10 minutes. Incorporer la betterave râpée et cuire encore 10 minutes. Répartir le tout dans des bols chauds, garnir de crème aigre et parsemer du restant d'aneth. Servir immédiatement.

soupe des moines

ingrédients

POUR 4 PERSONNES

1 litre de bouillon de légumes

1 tige de citronnelle, cœur
    seulement, finement haché

1 cuil. à café de pâte
    de tamarin

1 pincée de flocons
    de piment (facultatif)

140 g de haricots verts fins,
    coupés en tronçons de
    2,5 cm

1 cuil. à soupe de sauce
    de soja claire

1 cuil. à café de sucre roux

jus d'un demi-citron vert

250 g de tofu ferme, égoutté
    et coupé en dés

2 oignons verts, émincés
    en biais

55 g de champignons enoki,
    éboutés

400 g de nouilles udon fraîches
    ou de nouilles aux œufs
    chinoises

méthode

1 Dans une casserole, verser le bouillon, ajouter la citronnelle, la pâte de tamarin et les flocons de piment, et porter à ébullition sans cesser de remuer jusqu'à ce que la pâte de tamarin soit dissoute. Réduire le feu, ajouter les haricots verts et laisser mijoter 6 minutes. Ajouter la sauce de soja, le sucre roux et le jus de citron vert, et rectifier l'assaisonnement.

2 Incorporer le tofu, les oignons verts et laisser mijoter encore 1 à 2 minutes, jusqu'à ce que les haricots verts soient tendres et que le tofu soit chaud. Ajouter les champignons enoki.

3 Ébouillanter les nouilles de façon à les séparer, répartir dans des bols et verser la soupe immédiatement, de sorte que la soupe réchauffe les nouilles.

soupe chinoise

ingrédients

POUR 4 PERSONNES

15 g de champignons chinois
    séchés

115 g de nouilles aux œufs
    chinoises

2 cuil. à café d'arrow-root
    ou de maïzena

1 litre de bouillon de légumes

1 morceau de gingembre frais
    de 5 cm, pelé et coupé
    en lamelles

2 cuil. à soupe de sauce
    de soja noire

2 cuil. à café de mirin
    ou de xérès

1 cuil. à café de vinaigre
    de riz

4 petits pak-choï, coupés
    en deux

sel et poivre

ciboulette chinoise
    ou ordinaire ciselées,
    en garniture

méthode

1 Dans une terrine résistant à la chaleur, mettre les champignons séchés, couvrir d'eau bouillante et laisser tremper 20 minutes, jusqu'à ce qu'ils soient tendres. Cuire les nouilles 3 minutes à l'eau bouillante ou procéder selon les instructions figurant sur le paquet. Rafraîchir à l'eau courante de façon à arrêter la cuisson, égoutter et réserver.

2 Égoutter les champignons dans un chinois chemisé d'une étamine en réservant le liquide de trempage et émincer les champignons les plus gros. Dans un wok ou une casserole, mettre l'arrow-root et incorporer progressivement le liquide de trempage. Ajouter le bouillon, le gingembre frais, la sauce de soja, le mirin, le vinaigre de riz, les champignons et le pak-choï, et porter à ébullition sans cesser de remuer. Réduire le feu et laisser mijoter 15 minutes.

3 Poivrer et éventuellement saler – la sauce de soja est déjà très salée. Retirer les lamelles de gingembre à l'aide d'une écumoire.

4 Répartir les nouilles dans des bols chauds, verser la soupe et garnir de ciboulette.

champignons à l'ail

ingrédients

POUR 6 PERSONNES

450 g de champignons
    de Paris

5 cuil. à soupe d'huile d'olive
    espagnole

2 gousses d'ail, finement
    hachées

1 trait de jus de citron

sel et poivre

4 cuil. à soupe de persil plat
    frais haché

pain frais, en accompagnement

méthode

1 Brosser les champignons, retirer les tiges et couper les champignons les plus gros en quartiers. Dans une poêle, chauffer l'huile, ajouter l'ail et cuire 30 secondes à 1 minute, jusqu'à ce qu'il soit très légèrement doré. Ajouter les champignons et faire revenir à feu vif sans cesser de remuer, jusqu'à ce que les champignons aient absorbé toute l'huile.

2 Réduire le feu, chauffer jusqu'à ce que les champignons aient rendu leur eau et augmenter le feu de nouveau. Faire revenir encore 4 à 5 minutes sans cesser de remuer, jusqu'à ce que l'eau se soit évaporée. Arroser de jus de citron, saler et poivrer. Incorporer le persil haché et cuire encore 1 minute.

3 Transférer dans un plat de service chaud et servir très chaud ou tiède, accompagné de pain frais pour saucer.

crudités

ingrédients

POUR 4 À 6 PERSONNES

céleri rémoulade

1 gros jaune d'œuf

1 cuil. à soupe de moutarde
de Dijon

$1/2$ cuil. à café de vinaigre
de vin rouge

150 ml d'huile de tournesol

sel et poivre

$1^1/2$ cuil. à café de jus de citron

1 cuil. à café de sel

450 g de céleri-rave

carottes râpées

450 g de carottes, pelées

2 cuil. à soupe d'huile d'olive

2 cuil. à soupe de jus d'orange

sel et poivre

2 cuil. à soupe d'amandes
finement hachées

1 cuil. à soupe de persil plat
frais haché

salade de betteraves

400 g de betteraves cuites,
pelées

2 cuil. à soupe de vinaigrette

1 cuil. à soupe de ciboulette
hachée

tranches de pain frais
et beurre,
en accompagnement

méthode

1 Pour la sauce rémoulade, mettre le jaune d'œuf, la moutarde et le vinaigre dans un robot de cuisine et mixer. Moteur en marche, ajouter l'huile goutte à goutte jusqu'à ce que la sauce épaississe, puis en filet de façon à obtenir une sauce homogène. Saler et poivrer.

2 Dans une terrine, mettre le jus de citron et le sel, râper finement le céleri dans la terrine et bien mélanger de sorte que le céleri ne noircisse pas. Égoutter, sécher et incorporer la sauce rémoulade. Laisser reposer 20 minutes à température ambiante et servir.

3 Pour les carottes râpées, râper finement les carottes dans une terrine, ajouter l'huile et le jus d'orange, saler et poivrer. Couvrir et réserver au réfrigérateur. Incorporer le persil et les amandes juste avant de servir.

4 Pour la salade de betteraves, couper les betteraves en dés de 5 mm, mettre dans une terrine et ajouter la vinaigrette. Couvrir et réserver au réfrigérateur. Incorporer la ciboulette juste avant de servir.

5 Répartir les salades dans des assiettes et servir accompagné de pain frais beurré.

figues au bleu

ingrédients

POUR 6 PERSONNES

amandes
caramélisées

100 g de sucre

115 g d'amandes entières,
    éventuellement mondées

12 figues mûres

350 g de bleu, émietté

huile d'olive vierge extra

méthode

1 Pour les amandes caramélisées, mettre
le sucre dans une casserole et chauffer à feu
moyen à vif sans cesser de remuer jusqu'à ce
que le sucre ait fondu, caramélise et bouillonne
– ne plus remuer une fois que le caramel
bouillonne. Retirer du feu et ajouter les amandes
une à une en les incorporant immédiatement
au caramel à l'aide d'une fourchette. Remettre
éventuellement sur le feu si le caramel durcit.
Étaler sur une feuille de papier sulfurisé
légèrement graissée et laisser prendre.

2 Couper les figues en deux et répartir dans
4 assiettes. Hacher les amandes à la main
et en réserver un peu pour décorer. Déposer
des cuillerées de bleu sur chaque assiette
et parsemer d'amandes caramélisées. Arroser
d'huile d'olive et décorer des amandes
restantes.

asperges
au beurre fondu

ingrédients

POUR 2 PERSONNES

16 à 20 asperges, éboutées
   de sorte qu'elles fassent
   toutes 20 cm
85 g de beurre, fondu
gros sel et poivre, pour servir

méthode

1 Peler la base des asperges à l'aide d'un économe. Lier les asperges en botte avec de la ficelle de cuisine ou placer dans un panier de cuisson de sorte qu'elles puissent être retirées aisément de l'eau de cuisson.

2 Porter une casserole d'eau salée à ébullition, ajouter les asperges et couvrir. Cuire 4 à 5 minutes. Vérifier la cuisson en perçant la base à l'aide d'un couteau. Veiller à ne pas trop cuire les asperges.

3 Égoutter les asperges et servir sur de grandes assiettes nappées de beurre fondu. Les asperges et le beurre doivent être plus tièdes que chauds. Servir saupoudré de gros sel et poivré.

beignets de courgettes & leur sauce au yaourt

ingrédients

POUR 4 PERSONNES

2 à 3 courgettes, environ 400 g

1 gousse d'ail, hachée

3 oignons verts, finement
   émincés

125 g de féta, émiettée

2 cuil. à soupe de persil frais
   haché

2 cuil. à soupe de menthe
   fraîche hachée

1 cuil. à soupe d'aneth frais
   haché

$1/2$ cuil. à café de noix
   muscade

2 cuil. à soupe de farine

poivre

2 œufs

2 cuil. à soupe d'huile d'olive

1 citron coupé en quartiers,
   en garniture

sauce au yaourt

250 g de yaourt nature

$1/4$ de concombre, coupé
   en dés

1 cuil. à soupe d'aneth frais
   haché

poivre

méthode

1 Râper les courgettes sur un torchon, couvrir avec un autre torchon et bien presser. Laisser reposer 10 minutes, jusqu'à ce que les courgettes soient sèches.

2 Pour la sauce, mettre le yaourt, l'aneth et le concombre dans un bol, poivrer et couvrir. Réserver au réfrigérateur.

3 Transférer les courgettes dans une terrine, incorporer l'ail, les oignons verts, le fromage, les fines herbes, la noix muscade et la farine, et poivrer. Battre les œufs et incorporer aux courgettes – la préparation doit être épaisse et grumeleuse.

4 Dans une poêle, chauffer l'huile à feu moyen, verser 4 cuillerées à soupe de préparation en les espaçant bien et cuire 2 à 3 minutes sur chaque face. Retirer de la poêle, égoutter sur du papier absorbant et réserver au chaud. Répéter l'opération une fois de façon à obtenir 8 beignets au total.

5 Servir les beignets chauds, accompagnés de sauce au yaourt et garnis de quartiers de citron.

soufflés au fromage & aux fines herbes

ingrédients

POUR 6 SOUFFLÉS

55 g de beurre, un peu plus
   pour graisser

40 g de farine

150 ml de lait

250 g de ricotta

4 œufs, blancs et jaunes
   séparés, plus 2 blancs
   d'œufs

2 cuil. à soupe de persil frais
   haché

2 cuil. à soupe de thym frais
   haché

1 cuil. à soupe de romarin
   frais haché

sel et poivre

200 ml de crème fraîche
   légère

6 cuil. à soupe de parmesan
   râpé

champignons à l'ail,
   en accompagnement
   (*voir* page 30)

méthode

1 Beurrer 6 moules à soufflé de 9 cm de diamètre et réserver. Dans une casserole, faire fondre le beurre, ajouter la farine et cuire 30 secondes sans cesser de remuer. Incorporer le lait et cuire à feu doux sans cesser de battre jusqu'à ce que la préparation épaississe. Cuire encore 30 secondes, retirer du feu et incorporer la ricotta. Ajouter les jaunes d'œufs et les fines herbes, saler et poivrer.

2 Battre les blancs d'œufs en neige épaisse, incorporer à la préparation précédente et répartir dans les moules jusqu'en haut. Mettre dans un plat allant au four, verser de l'eau bouillante dans le plat de sorte que les moules soient immergés à demi et cuire au four préchauffé 15 à 20 minutes à 180 °C (th. 6), jusqu'à ce que les soufflés aient bien levé et soient dorés. Retirer du four, laisser reposer 10 minutes et démouler délicatement. Transférer dans un plat allant au four graissé et couvrir de film alimentaire.

3 Augmenter la température du four à 200 °C (th. 6-7). Retirer le film alimentaire, napper les soufflés de crème fraîche et saupoudrer de parmesan. Cuire au four encore 15 minutes et servir immédiatement, accompagné de champignons à l'ail.

artichauts en sauce vierge

ingrédients

POUR 4 PERSONNES

4 artichauts

$^1/_2$ citron, coupé en rondelles

sel

sauce vierge

3 tomates cœur de bœuf,
   mondées, épépinées
   et coupées en petits dés

4 oignons verts, très finement
   hachés

6 cuil. à soupe de fines
   herbes hachées, basilic,
   cerfeuil, ciboulette,
   menthe, persil plat
   ou estragon, par exemple

150 ml d'huile d'olive vierge
   extra

1 pincée de sucre

sel et poivre

méthode

1 Casser les queues des artichauts et égaliser les fonds de sorte qu'ils soient stables. À l'aide d'une paire de ciseaux, couper le sommet des feuilles. Remplir une terrine d'eau, ajouter 2 rondelles de citron et y réserver les artichauts au fur et à mesure de la préparation.

2 Choisir une casserole assez grande pour contenir les 4 artichauts, remplir d'eau salée et ajouter les rondelles de citron restantes. Porter l'eau à ébullition, ajouter les artichauts et lester avec une assiette de sorte qu'ils restent immergés. Réduire le feu et laisser mijoter 25 à 35 minutes à petits bouillons, jusqu'à ce que les feuilles extérieures se détachent facilement.

3 Pour la sauce, mettre dans une casserole les tomates, les oignons verts, les fines herbes, l'huile et le sucre, saler et poivrer. Laisser reposer de sorte que les arômes se développent.

4 Égoutter les artichauts posés à l'envers sur du papier absorbant et transférer dans des assiettes. Chauffer la sauce à feu très doux et napper les artichauts.

galettes de patates douces à la menthe & à la féta

ingrédients

POUR 4 PERSONNES

600 g de patates douces,
    pelées et râpées

1 œuf, légèrement battu

50 g de farine

70 g de beurre, fondu

100 g de féta, émiettée

3 cuil. à soupe de menthe
    fraîche hachée

sel et poivre

1 cuil. à soupe d'huile

4 cuil. à soupe de crème
    aigre

2 cuil. à soupe de persil frais
    haché, en garniture

méthode

1 Dans une terrine, mettre les patates douces, l'œuf, la farine, le beurre fondu, la féta et la menthe, mélanger le tout, saler et poivrer.

2 Dans une poêle antiadhésive, chauffer l'huile à feu moyen, déposer 4 grandes cuillerées à soupe de la préparation en aplatissant légèrement et cuire sur les deux faces jusqu'à ce que les galettes soient dorées. Répéter l'opération une fois de façon à obtenir 8 galettes au total.

3 Déposer les galettes sur une plaque de four chemisée de papier sulfurisé et cuire au four préchauffé 15 minutes à 160 °C (th. 5-6), jusqu'à ce que les galettes soient croustillantes. Déposer 2 galettes dans chaque assiette, garnir d'une cuillerée à soupe de crème aigre et de persil, et servir immédiatement.

champignons farcis

ingrédients

POUR 4 PERSONNES

12 gros champignons
portobello, brossés
et équeutés

huile de maïs, pour graisser

1 bulbe de fenouil, finement
émincé

100 g de tomates séchées
au soleil, émincées

2 gousses d'ail, hachées

125 g de fontina, râpé

50 g de parmesan, râpé

3 cuil. à soupe de basilic
haché

sel et poivre

1 cuil. à soupe d'huile d'olive

copeaux de parmesan,
en garniture

1 cuil. à soupe de persil,
en garniture

méthode

1 Huiler un grand plat allant au four et y mettre 8 champignons, côté coupé vers le haut. Hacher finement les 4 champignons restants.

2 Dans une poêle antiadhésive, mettre les champignons hachés, le fenouil, les tomates séchées et l'ail, et cuire à feu doux jusqu'à ce que les légumes soient tendres, sans laisser brunir. Retirer du feu et laisser refroidir.

3 Ajouter les fromages et le basilic dans la poêle, saler, poivrer et bien mélanger le tout. Enduire les champignons entiers d'huile d'olive, garnir chaque cavité de la préparation précédente et cuire au four préchauffé 20 à 25 minutes à 180 °C (th. 6), jusqu'à ce que les champignons soient tendres et que la garniture soit cuite.

4 Garnir de copeaux de parmesan et de persil, et servir immédiatement.

falafels au sésame

ingrédients

POUR 4 PERSONNES

450 g de haricots cannellini
en boîte, égouttés

350 g de pois chiches
en boîte, égouttés

1 oignon, finement haché

2 gousses d'ail, hachées

1 petit piment rouge frais,
épépiné et haché

1 cuil. à café de levure
chimique

25 g de persil frais haché,
un peu plus pour garnir

1 pincée de poivre
de Cayenne

2 cuil. à soupe d'eau

sel et poivre

huile, pour la friture

pain pita, yaourt nature
ou sauce au yaourt
(*voir* page 38) et quartiers
de citron, en garniture

sauce au sésame

200 ml de pâte de sésame

1 gousse d'ail, hachée

1 à 2 cuil. à soupe d'eau

2 à 3 cuil. à café de jus
de citron

méthode

1 Pour la sauce, mettre la pâte de sésame
et l'ail dans un bol, incorporer progressivement
l'eau jusqu'à obtention de la consistance désirée
et ajouter le jus de citron. Couvrir de film
alimentaire et réserver au réfrigérateur.

2 Pour les falafels, rincer les haricots et les
pois chiches, mettre dans un robot de cuisine
et ajouter l'oignon, l'ail, le piment, la levure, le
persil haché et le poivre de Cayenne. Mixer
jusqu'à obtention d'une pâte épaisse, ajouter
l'eau, saler et poivrer. Mixer de nouveau
brièvement.

3 Dans un wok ou une sauteuse, chauffer 6 cm
d'huile à feu vif, ajouter des cuillerées à soupe
de préparation et frire 2 minutes à 2 min 30,
jusqu'à ce que les falafels soient dorés et
croustillants. Retirer de l'huile à l'aide d'une
écumoire et égoutter sur du papier absorbant.
Répéter l'opération jusqu'à épuisement de
la pâte et servir chaud ou froid, accompagné
de sauce au sésame, de pain pita, de sauce
au yaourt et de quartiers de citron.

nachos aux haricots noirs

ingrédients

POUR 4 PERSONNES

225 g de haricots noirs secs
ou de haricots noirs
en boîte, égouttés

175 à 225 g de fromage râpé

1/4 de cuil. à café de cumin
en poudre ou de graines
de cumin

4 cuil. à soupe de crème
aigre

piments jalapeño en saumure,
émincés (facultatif)

1 cuil. à soupe de coriandre
fraîche hachée

1 poignée de laitue ciselée

machos (chips mexicaines),
en accompagnement

méthode

1 En cas d'utilisation de haricots secs, mettre dans une terrine, couvrir d'eau et laisser tremper une nuit. Égoutter, transférer dans une casserole et couvrir d'eau froide. Porter à ébullition, laisser bouillir 10 minutes et réduire le feu. Laisser mijoter 1 h 30, jusqu'à ce qu'ils soient tendres, et égoutter.

2 Répartir les haricots dans un plat allant au four, parsemer de fromage et saupoudrer de cumin.

3 Cuire au four préchauffé 10 à 15 minutes à 190 °C (th. 6-7), jusqu'à ce que les haricots soient bien cuits et que le fromage soit fondu.

4 Retirer du four, garnir de crème aigre et parsemer de coriandre, de laitue et éventuellement de piments.

5 Répartir les machos autour des haricots et servir immédiatement.

haricots, fruits secs & tofu

Les haricots, les fruits à coque et le tofu sont trois des principaux ingrédients du régime végétarien. Les haricots, très riches en protéines, se présentent sous les formes et des couleurs variées, allant du haricot rouge foncé au haricot blanc. Ils constituent une base solide pour les ragoûts et les currys. Les pois chiches se mangent entiers ou écrasés en purée avec de la farine – essayez le curry de légumes et galettes de pois chiches. Les lentilles se substituent avantageusement à la viande hachée, et si vous aimez la cuisine italienne, goûtez la sauce bolognaise avec des lentilles pour vous distraire des plats trop classiques.

Pour tirer un bénéfice nutritionnel maximal, consommez les haricots et les lentilles avec des féculents, comme du riz ou du pain complet. Le risotto aux haricots rouges offre un mélange idéal de nutriments.

Les noix et autres fruits à coque vous apportent une mine de bienfaits, ils sont excellents pour le système nerveux. Servez une terrine au stilton ou un cake salé aux noisettes avec des pommes de terre grillées et un plat abondant de légumes qui remplaceront le rôti de viande.

Le tofu, neutre de goût, se transforme lorsque vous le cuisinez avec de l'ail et du piment. Le tofu est vendu en blocs qui peuvent être détaillés en dés. Cet aliment maigre est parfait pour les végétariens et c'est un délice !

ragoût mexicain
aux trois haricots

ingrédients

POUR 6 PERSONNES

140 g de haricots noirs,
de cannellini et de borlotti,
mis à tremper une nuit
séparément

2 cuil. à soupe d'huile d'olive

1 gros oignon, finement
haché

2 poivrons rouges, épépinés
et hachés

2 gousses d'ail, très finement
hachées

$1/2$ cuil. à café de graines
de cumin, pilées

1 cuil. à café de graines
de coriandre, pilées

1 cuil. à café d'origan sec

$1/2$ à 2 cuil. à café de poudre
de piment

3 cuil. à soupe de concentré
de tomate

800 g de tomates concassées
en boîte

1 cuil. à café de sucre

1 cuil. à café de sel

625 ml de bouillon de
légumes

3 cuil. à soupe de coriandre
fraîche hachée

méthode

1 Égoutter les haricots noirs, mettre dans une casserole et couvrir d'eau froide. Porter à ébullition et cuire 10 à 15 minutes à gros bouillons. Réduire le feu et laisser mijoter 35 à 45 minutes, jusqu'à ce qu'ils soient tendres. Égoutter et réserver. Répéter l'opération avec les deux autres sortes de haricots.

2 Dans une autre casserole, chauffer l'huile à feu moyen, ajouter l'oignon et les poivrons, et cuire 5 minutes sans cesser de remuer, jusqu'à ce qu'ils soient tendres.

3 Ajouter l'ail, les graines de cumin, les graines de coriandre et l'origan, et cuire 30 secondes sans cesser de remuer, jusqu'à ce que l'ail change de couleur. Ajouter la poudre de piment et le concentré de tomate, et cuire 1 minute sans cesser de remuer. Ajouter les tomates, le sucre, le sel et les haricots, mouiller avec le bouillon et porter à ébullition. Réduire le feu, couvrir et laisser mijoter 45 minutes en remuant de temps en temps.

4 Incorporer la coriandre fraîche, répartir dans des bols chauds et servir immédiatement.

légumes à l'aigre-douce et aux noix de cajou

ingrédients

POUR 4 PERSONNES

1 cuil. à soupe d'huile
    d'arachide

1 cuil. à café d'huile
    pimentée

2 oignons, émincés

2 carottes, finement
    émincées

2 courgettes, coupées
    en rondelles

115 g de brocoli,
    détaillé en fleurettes

115 g de champignons
    blancs, émincés

115 g de pak-choï, coupé
    en deux

2 cuil. à soupe de sucre roux

2 cuil. à soupe de sauce
    de soja thaïe

1 cuil. à soupe de vinaigre
    de riz

55 g de noix de cajou

méthode

1 Dans un wok préchauffé ou une poêle, chauffer les deux huiles, ajouter les oignons et faire revenir 1 à 2 minutes, jusqu'à ce qu'ils soient tendres.

2 Ajouter les carottes, les courgettes et le brocoli, et faire revenir 2 à 3 minutes. Ajouter les champignons, le pak-choï, le sucre, la sauce de soja et le vinaigre, et faire revenir 1 à 2 minutes.

3 Chauffer une poêle à feu vif, ajouter les noix de cajou et griller à sec en secouant la poêle souvent, jusqu'à ce qu'elles soient dorées. Parsemer les légumes de noix de cajou et servir immédiatement.

chili végétarien

ingrédients

POUR 4 PERSONNES

400 g de haricots noirs secs

2 cuil. à soupe d'huile d'olive

1 oignon, haché

5 gousses d'ail, grossièrement
   hachées

1/2 à 1 cuil. à café de cumin
   en poudre

1/2 à 1 cuil. à café de poudre
   de piment doux

1 poivron rouge, coupé
   en dés

1 carotte, coupée en dés

400 g de tomates fraîches
   ou en boîte, concassées

1 botte de coriandre fraîche,
   hachée

sel et poivre

méthode

1 Dans une terrine, mettre les haricots, couvrir
d'eau et laisser tremper une nuit. Égoutter,
transférer dans une casserole et couvrir d'eau.
Porter à ébullition, laisser bouillir 10 minutes
et réduire le feu. Laisser mijoter 1 h 30, jusqu'à
ce qu'ils soient tendres, et égoutter en réservant
250 ml de liquide de cuisson.

2 Dans une poêle, chauffer l'huile, ajouter
l'ail et l'oignon, et cuire en remuant de temps
en temps jusqu'à ce qu'ils soient tendres.

3 Incorporer le cumin et la poudre de piment,
cuire encore quelques instants. Ajouter le
poivron rouge, la carotte et les tomates et cuire
encore 5 minutes à feu moyen.

4 Ajouter la moitié de la coriandre et les haricots
avec le liquide de trempage réservé, saler
et poivrer. Laisser mijoter 30 à 45 minutes,
jusqu'à ce que les arômes se développent
et que la préparation épaississe.

5 Incorporer la coriandre restante, rectifier
l'assaisonnement et servir immédiatement.

ragoût de haricot provençal

ingrédients

POUR 4 PERSONNES

350 g de borlotti secs,
   mis à tremper une nuit

2 cuil. à soupe d'huile d'olive

2 oignons, émincés

2 gousses d'ail, finement
   hachées

1 poivron rouge, épépiné
   et émincé

1 poivron jaune, épépiné
   et émincé

400 g de tomates concassées
   en boîte

2 cuil. à soupe de concentré
   de tomate

1 cuil. à soupe de feuilles
   de basilic ciselées

2 cuil. à café de thym frais
   haché

2 cuil. à café de romarin frais
   haché

1 feuille de laurier

sel et poivre

55 g d'olives noires,
   dénoyautées et coupées
   en deux

2 cuil. à soupe de persil frais
   haché

méthode

1 Égoutter les haricots, mettre dans une casserole et couvrir d'eau froide. Porter à ébullition, réduire le feu et couvrir. Laisser mijoter 1 h 15 à 1 h 30, jusqu'à ce que les haricots soient tendres. Égoutter en réservant 300 ml de liquide de cuisson.

2 Dans une casserole, chauffer l'huile à feu moyen, ajouter les oignons et cuire 5 minutes en remuant souvent, jusqu'à ce qu'ils soient tendres. Ajouter l'ail et les poivrons, et cuire 10 minutes en remuant de temps en temps.

3 Ajouter les tomates avec leur jus, le liquide de cuisson des haricots réservé, le concentré de tomate, le basilic, le thym, le romarin, le laurier et les haricots. Saler, poivrer et couvrir. Laisser mijoter 40 minutes, ajouter les olives et laisser mijoter encore 5 minutes. Transférer dans un plat de service chaud, parsemer de persil et servir immédiatement.

haricots à la mode de Boston

ingrédients

POUR 8 PERSONNES

500 g de cannellinis secs,
    mis à tremper une nuit

2 oignons, hachés

2 grosses tomates, mondées
    et concassées

2 cuil. à café de moutarde

2 cuil. à soupe de mélasse

sel et poivre

méthode

1 Égoutter les haricots, mettre dans une grande casserole et couvrir d'eau froide. Porter à ébullition, réduire le feu et laisser mijoter 15 minutes. Égoutter en réservant 300 ml du liquide de cuisson. Transférer les haricots dans une cocotte et ajouter les oignons.

2 Dans une casserole, verser le liquide de cuisson réservé, ajouter les tomates et porter à ébullition. Réduire le feu, laisser mijoter 10 minutes et retirer du feu. Incorporer la moutarde et la mélasse, saler et poivrer.

3 Transférer la préparation précédente dans la cocotte, mélanger et cuire au four préchauffé 5 heures à 140 °C (th. 4-5). Servir chaud.

champignons portobello farcis

ingrédients

POUR 4 PERSONNES

4 gros champignons
      portobello

200 g de haricots rouges
      en boîte, égouttés
      et rincés

4 oignons verts, hachés

1 piment rouge jalapeño,
      épépiné et finement haché

1 cuil. à soupe de zeste de
      citron finement râpé

1 cuil. à soupe de persil plat
      frais haché, un peu plus
      pour garnir

sel et poivre

85 g de courgettes,
      grossièrement râpées

85 g de carottes,
      grossièrement râpées

55 g de pignons, grillés

40 g de raisins secs

300 ml de bouillon de légumes

sauce

150 ml de yaourt à la grecque

1 cuil. à soupe de persil plat
      frais haché

1 cuil. à soupe de zeste
      de citron râpé

méthode

1 Peler les champignons et retirer délicatement les pieds.

2 Dans un robot de cuisine, mettre les pieds de champignons, les oignons verts, le piment, le zeste de citron et le persil, saler et poivrer. Mixer 2 minutes.

3 Racler les parois du robot de cuisine, ajouter les courgettes, les carottes, les pignons et les raisins secs, et bien mixer le tout. Farcir les chapeaux des champignons.

4 Répartir les champignons farcis dans un plat allant au four, verser le bouillon autour et couvrir de papier d'aluminium. Cuire au four préchauffé 30 minutes à 180 °C (th. 6) en retirant le papier d'aluminium 10 minutes avant la fin de la cuisson.

5 Pour la sauce, mettre tous les ingrédients dans un bol de service et bien mélanger.

6 Servir les champignons très chauds, nappés de sauce et garnis de persil.

curry de haricots rouges & blancs

ingrédients

POUR 4 PERSONNES

85 g de haricots rouges

85 g de haricots blancs

55 g de haricots cornilles

2 cuil. à soupe de beurre
    clarifié ou d'huile

1 cuil. à café de graines
    de moutarde noires

1 cuil. à café de graines
    de cumin

1 oignon, finement haché

1 cuil. à café d'ail réduit
    en purée

1 cuil. à café de gingembre
    frais réduit en purée

2 cuil. à soupe de pâte
    de curry

2 piments verts frais,
    épépinés et hachés

400 g de tomates en boîte

2 cuil. à soupe de concentré
    de tomate

125 à 150 ml d'eau
    (facultatif)

sel

2 cuil. à soupe de coriandre
    fraîche hachée, un peu
    plus pour garnir

méthode

1 Dans une terrine, mettre les haricots, couvrir d'eau et laisser tremper 4 heures ou une nuit.

2 Égoutter, transférer dans une casserole et couvrir d'eau froide. Porter à ébullition à feu vif et laisser bouillir à gros bouillons 15 minutes. Réduire le feu, couvrir et laisser mijoter 1 h 30, jusqu'à ce que les haricots soient tendres.

3 Dans une autre casserole, chauffer le beurre clarifié, ajouter les graines de moutarde et de cumin, et cuire 2 minutes à feu doux sans cesser de remuer, jusqu'à ce que les arômes se développent. Ajouter l'oignon et cuire 5 minutes, jusqu'à ce qu'il soit tendre. Ajouter les purées d'ail et de gingembre, la pâte de curry et les piments, et cuire 2 minutes sans cesser de remuer. Incorporer les tomates avec leur jus et le concentré de tomate, allonger éventuellement avec de l'eau, saler et laisser mijoter 5 minutes.

4 Égoutter les haricots, ajouter à la sauce et incorporer la coriandre hachée. Couvrir et laisser mijoter encore 30 minutes, jusqu'à ce que les haricots soient tendres et que la sauce épaississe. Garnir de coriandre et servir immédiatement.

risotto aux haricots rouges

ingrédients

POUR 4 PERSONNES

4 cuil. à soupe d'huile

1 oignon, haché

2 gousses d'ail, finement
hachées

175 g de riz complet

625 ml de bouillon de légumes

sel et poivre

1 poivron rouge, épépiné
et haché

2 branches de céleri,
émincées

225 g de champignons
de Paris, finement
émincés

425 g de haricots rouges
en boîte, égouttés et rincés

3 cuil. à soupe de persil plat
frais haché

55 g de noix de cajou, un peu
plus pour garnir

méthode

1 Dans une casserole, chauffer la moitié de
l'huile, ajouter l'oignon et cuire 5 minutes en
remuant de temps en temps, jusqu'à ce qu'il
soit tendre. Ajouter la moitié de l'ail et cuire
encore 2 minutes en remuant souvent. Ajouter
le riz et faire revenir 1 minute sans cesser
de remuer, jusqu'à ce que les grains soient
bien enrobés d'huile.

2 Mouiller avec le bouillon, ajouter 1 pincée
de sel et du poivre et porter à ébullition sans
cesser de remuer. Réduire le feu, couvrir et
laisser mijoter 35 à 40 minutes, jusqu'à ce
que tout le liquide soit absorbé.

3 Dans une poêle, chauffer l'huile restante,
ajouter le poivron et le céleri, et cuire 5 minutes
en remuant souvent. Ajouter les champignons
et l'ail restant, et cuire 4 à 5 minutes en remuant
souvent.

4 Incorporer le contenu de la casserole dans
la poêle, ajouter les haricots, le persil et les
noix de cajou, et réchauffer le tout sans cesser
de remuer. Transférer dans un plat de service
chaud, garnir de persil et servir immédiatement.

curry de légumes
& galettes de pois chiches

ingrédients

POUR 4 PERSONNES

200 g de carottes

300 g de pommes de terre

2 cuil. à soupe d'huile

1½ cuil. à café de graines
de cumin

graines de 5 gousses
de cardamome

1½ cuil. à café de graines
de moutarde

2 oignons, râpés

1 cuil. à café de curcuma

1 cuil. à café de coriandre
en poudre

1½ cuil. à café de poudre
de piment

1 feuille de laurier

1 cuil. à soupe de gingembre
frais râpé

2 gousses d'ail, hachées

250 ml de coulis de tomate

200 ml de bouillon de légumes

115 g de petits pois surgelés

115 g d'épinards surgelés

galettes de pois chiches

225 g de farine de pois chiche

1 cuil. à café de sel

½ cuil. à café de bicarbonate

huile, pour la cuisson

méthode

1 Pour les galettes, tamiser la farine, le sel et le bicarbonate dans une terrine, creuser un puits au centre et y verser 400 ml d'eau. Incorporer progressivement la farine à l'eau en battant à l'aide d'un fouet, de façon à obtenir une pâte homogène et laisser reposer 15 minutes.

2 Dans une poêle, chauffer de l'huile à feu moyen, verser 4 cuillerées de préparation et cuire 3 minutes sur chaque face, jusqu'à ce que les galettes soient dorées. Répéter l'opération de façon à obtenir 8 galettes au total.

3 Couper les carottes et les pommes de terre en dés, et blanchir à l'eau bouillante salée.

4 Dans une casserole, chauffer l'huile à feu moyen, ajouter les graines de cumin, de cardamome et de moutarde, et faire frire jusqu'à ce qu'elles commencent à éclater. Ajouter les oignons, couvrir partiellement et cuire à feu moyen, jusqu'à ce qu'ils soient tendres et dorés.

5 Ajouter les épices restantes, le laurier, le gingembre et l'ail, et cuire 1 minute sans cesser de remuer. Ajouter le coulis de tomate, le bouillon, les carottes et les pommes de terre, couvrir partiellement et cuire 10 à 15 minutes. Ajouter les petits pois et les épinards, cuire 2 à 3 minutes et servir chaud accompagné de galettes de pois chiches.

pois chiches aux épinards

ingrédients

POUR 4 À 6 PERSONNES

2 cuil. à soupe d'huile d'olive

1 grosse gousse d'ail, coupée
en deux

1 oignon, finement haché

1/2 cuil. à café de cumin

1 pincée de poivre
de Cayenne

1 pincée de curcuma

800 g de pois chiches
en boîte, rincés
et égouttés

500 g de pousses d'épinard,
rincées et égouttées

2 poivrons en bocal, égouttés
et émincés

sel et poivre

méthode

1 Dans une poêle, chauffer l'huile à feu moyen
à vif, ajouter l'ail et cuire 2 minutes, jusqu'à
ce qu'il soit doré, sans laisser brunir. Retirer
de la poêle à l'aide d'une écumoire et jeter.

2 Ajouter l'oignon, le cumin, le poivre de
Cayenne et le curcuma, et cuire 5 minutes,
jusqu'à ce que l'oignon soit tendre. Ajouter
les pois chiches et remuer jusqu'à ce qu'ils
prennent la couleur du curcuma.

3 Incorporer les épinards, couvrir et cuire 4 à
5 minutes, jusqu'à ce qu'ils soient flétris. Retirer
le couvercle, ajouter les poivrons et cuire en
remuant délicatement, jusqu'à ce que le jus
de cuisson soit évaporé. Saler, poivrer et servir.

curry de pois chiches

ingrédients

POUR 4 PERSONNES

6 cuil. à soupe d'huile

2 oignons, émincés

1 cuil. à café de gingembre
frais haché

1 cuil. à café de cumin
en poudre

1 cuil. à café de coriandre
en poudre

1 cuil. à café d'ail haché

1 cuil. à café de poudre
de piment

2 piments verts frais

2 à 3 cuil. à soupe de coriandre
fraîche hachée

150 ml d'eau

1 grosse pomme de terre

400 g de pois chiches
en boîte, égouttés

1 cuil. à soupe de jus
de citron

méthode

1 Dans une casserole, chauffer l'huile, ajouter les oignons et cuire sans cesser de remuer jusqu'à ce qu'ils soient tendres. Réduire le feu, ajouter le gingembre, le cumin, la coriandre en poudre, l'ail, la poudre de piment, les piments et la coriandre fraîche, et faire revenir 2 minutes.

2 Verser l'eau dans la casserole et bien remuer.

3 Couper la pomme de terre en dés à l'aide d'un couteau tranchant. Ajouter les pommes de terre et les pois chiches dans la casserole, couvrir et laisser mijoter 5 à 7 minutes en remuant de temps en temps.

4 Arroser de jus de citron, transférer dans des assiettes chaudes et servir immédiatement.

galettes de haricots & leur salsa à l'avocat

ingrédients

POUR 4 PERSONNES

55 g de pignons

425 g d'un mélange de haricots en boîte, rincés et égouttés

1/2 oignon rouge, haché

1 cuil. à soupe de concentré de tomate

1/2 piment rouge, épépiné et haché

55 g de chapelure blonde

1 œuf, battu

1 cuil. à soupe de coriandre fraîce hachée

2 cuil. à soupe d'huile de maïs

1 citron vert, coupé en quartiers, en garniture

4 petits pains complets, en garniture (facultatif)

salsa

1 avocat, pelé, dénoyauté et haché

100 g de tomates, épépinées et hachées

2 gousses d'ail, hachées

2 cuil. à soupe de coriandre fraîche hachée

1 cuil. à soupe d'huile d'olive

poivre

jus d'un demi-citron vert

méthode

1 Chauffer une poêle antiadhésive à feu moyen, ajouter les pignons et cuire sans cesser de remuer jusqu'à ce qu'ils soient dorés. Transférer immédiatement dans un bol et réserver.

2 Dans une terrine, mettre les haricots et réduire en purée. Ajouter l'oignon, le concentré de tomate, le piment, les pignons et la moitié de la chapelure, et bien mélanger. Ajouter la moitié de l'œuf et la coriandre, réduire de nouveau en purée et lier avec l'œuf restant si nécessaire. Façonner 4 galettes, enrober de la chapelure restante et couvrir. Mettre au réfrigérateur et laisser reposer 30 minutes.

3 Pour la salsa, mettre les ingrédients dans un bol de service, mélanger et couvrir. Réserver au réfrigérateur.

4 Dans une poêle, chauffer l'huile à feu moyen, ajouter les galettes et cuire 4 à 5 minutes sur chaque face, jusqu'à ce qu'elles soient croustillantes et bien chaudes. Retirer de la poêle et égoutter sur du papier absorbant.

5 Servir éventuellement les galettes dans des petits pains complets, accompagnées de salsa et de quartiers de citron.

hamburgers végétariens

ingrédients

POUR 4 PERSONNES

1 cuil. à soupe d'huile
    de tournesol, un peu plus
    pour graisser

1 oignon, finement haché

1 gousse d'ail, hachée

1 cuil. à café de coriandre
    en poudre

1 cuil. à café de cumin
    en poudre

115 g de champignons
    de Paris, hachés

425 g de borlotti
    ou de haricots rouges,
    égouttés et rincés

2 cuil. à soupe de persil plat
    frais haché

sel et poivre

farine, pour saupoudrer

petits pains pour hamburgers

salade, en accompagnement

méthode

1 Dans une poêle, chauffer l'huile à feu moyen, ajouter l'oignon et cuire 5 minutes en remuant souvent, jusqu'à ce qu'il soit tendre. Ajouter l'ail, la coriandre et le cumin, et cuire encore 1 minute. Ajouter les champignons et cuire 4 à 5 minutes en remuant souvent, jusqu'à ce que l'eau soit évaporée. Transférer dans un bol.

2 Réduire les haricots en purée à l'aide d'une fourchette et incorporer à la préparation précédente. Ajouter le persil, saler et poivrer.

3 Répartir la préparation en 4 portions, fariner légèrement et façonner des galettes. Enduire d'huile et passer au gril préchauffé 4 à 5 minutes de chaque côté à puissance moyenne. Garnir les petits pains et servir les hamburgers accompagnés de salade.

couscous de légumes aux pignons

ingrédients

POUR 4 PERSONNES

115 g de lentilles vertes

55 g de pignons

1 cuil. à soupe d'huile d'olive

1 oignon, coupé en dés

2 gousses d'ail, écrasées

280 g de courgettes, coupées
en rondelles

250 g de tomates, concassées

400 g de cœurs d'artichaut
en boîte, égouttés
et coupés en deux dans
la hauteur

250 g de semoule
de couscous

500 ml de bouillon
de légumes

3 cuil. à soupe de basilic frais
ciselé, un peu plus pour
garnir

poivre et sel

méthode

1 Dans une casserole, mettre les lentilles, couvrir d'eau et porter à ébullition. Laisser bouillir 10 minutes, réduire le feu et couvrir. Laisser mijoter 15 minutes, jusqu'à ce qu'elles soient tendres.

2 Répartir les pignons sur une plaque et passer au gril préchauffé en remuant souvent jusqu'à ce qu'ils soient uniformément dorés. Transférer dans une terrine et réserver.

3 Dans une poêle, chauffer l'huile à feu moyen, ajouter l'oignon, l'ail et les courgettes, et cuire 8 à 10 minutes à feu moyen en remuant souvent, jusqu'à ce que le tout soit tendre et que les courgettes soient légèrement dorées. Ajouter les tomates et les cœurs d'artichauts, et réchauffer le tout 5 minutes.

4 Mettre la semoule dans une terrine résistant à la chaleur. Porter le bouillon à ébullition, ajouter à la semoule et couvrir. Laisser reposer 10 minutes, jusqu'à ce que la semoule soit tendre et que tout le bouillon ait été absorbé.

5 Égoutter les lentilles, incorporer la semoule et le basilic, saler et poivrer. Transférer dans un plat de service chaud et ajouter les légumes. Parsemer de pignons, garnir de basilic et servir immédiatement.

salade de lentilles chaude au fromage de chèvre

ingrédients

POUR 4 PERSONNES

2 cuil. à soupe d'huile d'olive

2 cuil. à café de graines
   de cumin

2 gousses d'ail, hachées

2 cuil. à café de gingembre
   frais râpé

300 g de lentilles rouges

750 ml de bouillon de légumes

2 cuil. à soupe de menthe
   fraîche hachée

2 cuil. à soupe de coriandre
   fraîche hachée

2 oignons rouges, finement
   émincés

200 g de feuilles d'épinards

1 cuil. à café d'huile
   de noisette

150 g de fromage de chèvre

4 cuil. à soupe de yaourt
   à la grecque

sel et poivre

1 citron, coupé en quartiers,
   en garniture

pain bis grillé,
   en accompagnement

méthode

1 Dans une grande casserole, chauffer la moitié de l'huile d'olive à feu moyen, ajouter les graines de cumin, l'ail et le gingembre, et cuire 2 minutes sans cesser de remuer.

2 Incorporer les lentilles. Mouiller avec une louche de bouillon, chauffer sans cesser de remuer jusqu'à ce que les lentilles aient absorbé le liquide et répéter l'opération avec le bouillon restant – cela prend environ 20 minutes. Retirer du feu et incorporer les fines herbes.

3 Dans une poêle, chauffer l'huile restante à feu moyen, ajouter les oignons et cuire 10 minutes en remuant souvent, jusqu'à ce qu'ils soient tendres et légèrement dorés.

4 Mélanger l'huile de noisette aux épinards et répartir le mélange obtenu dans 4 assiettes.

5 Mélanger le fromage de chèvre et le yaourt, réduire en purée, saler et poivrer.

6 Répartir les lentilles dans des assiettes et garnir d'oignons, du mélange à base de fromage de chèvre et de quartiers de citron. Servir accompagné de pain bis grillé.

sauce bolognaise
aux lentilles

ingrédients

POUR 4 PERSONNES

1 cuil. à café d'huile

1 cuil. à café d'ail haché

25 g d'oignon, finement haché

25 g de poireau, haché

25 g de céleri, haché

25 g de poivron vert, épépiné
    et haché

25 g de carotte, hachée

25 g de courgette, hachée

85 g de champignons
    de couche, hachés

4 cuil. à soupe de vin rouge

1 pincée de thym séché

400 g de tomates en boîte,
    concassées, égouttées,
    jus et pulpe réservés
    séparément

4 cuil. à soupe de lentilles
    vertes sèches, cuites

poivre

2 cuil. à soupe de jus
    de citron

1 cuil. à café de sucre

3 cuil. à soupe de basilic
    frais haché, un peu plus
    pour garnir

spaghettis,
    en accompagnement

méthode

1 Dans une casserole, chauffer l'huile à feu doux, ajouter l'ail et cuire sans cesser de remuer jusqu'à ce qu'il soit doré. Ajouter tous les légumes excepté les champignons, augmenter le feu et cuire 10 à 12 minutes en remuant de temps en temps, jusqu'à ce qu'ils soient tendres et que tout le liquide soit évaporé.

2 Ajouter les champignons, augmenter le feu et mouiller avec le vin. Cuire 2 minutes, ajouter le thym et le jus des tomates, et cuire jusqu'à ce que la préparation ait réduit de moitié.

3 Ajouter les lentilles et la pulpe de tomates, poivrer et cuire encore 3 à 4 minutes. Retirer la poêle du feu et incorporer le jus de citron, le sucre et le basilic.

4 Servir la sauce en accompagnement de spaghettis, le tout garni de basilic.

tourte aux lentilles & aux champignons

ingrédients

POUR 6 PERSONNES

175 g de lentilles vertes

2 feuilles de laurier

6 échalotes, émincées

1,25 l de bouillon de légumes

sel et poivre

55 g de beurre

225 g de riz long grain

8 feuilles de pâte filo

2 cuil. à soupe de persil plat frais haché

2 cuil. à café de fenouil frais haché

4 œufs, 1 œuf battu et 3 œufs durs et émincés

225 g de champignons portobello, émincés

méthode

1 Dans une casserole, mettre les lentilles, les feuilles de laurier et la moitié des échalotes, verser la moitié du bouillon et porter à ébullition. Réduire le feu et laisser mijoter 25 minutes, jusqu'à ce que les lentilles soient tendres. Retirer du feu, saler, poivrer et laisser refroidir.

2 Dans une autre casserole, faire fondre la moitié du beurre à feu moyen, ajouter les échalotes restantes et cuire sans cesser de remuer jusqu'à ce qu'elles soient tendres. Ajouter le riz et cuire 1 minute. Mouiller avec le bouillon restant, saler, poivrer et porter à ébullition. Réduire le feu, couvrir et cuire 15 minutes. Laisser refroidir.

3 Faire fondre le beurre restant et enduire un plat à gratin. Mettre une feuille de pâte filo dans le fond du plat en laissant dépasser les extrémités de chaque côté, enduire de beurre fondu et répéter l'opération avec les feuilles restantes de sorte que le fond du plat soit totalement couvert. Ajouter le persil, le fenouil et l'œuf battu à la préparation à base de riz. Dans le plat, alterner des couches de riz, d'œufs durs, de lentilles et de champignons, en salant et poivrant chaque couche. Rabattre les extrémités des feuilles sur le tout en les froissant, enduire de beurre fondu et cuire 15 minutes. Cuire au four préchauffé 45 minutes à 190 °C (th. 6-7), laisser tiédir 10 minutes et servir.

dhal au maïs

ingrédients

POUR 4 PERSONNES

225 g de lentilles rouges

2 cuil. à soupe d'huile

1 cuil. à café de cumin
en poudre

1 cuil. à café de coriandre
en poudre

1/2 cuil. à café de asa fœtida

1 piment rouge frais, épépiné
et haché

115 g de haricots verts,
blanchis, égouttés
et hachés

1 poivron vert, épépiné
et haché

115 g de mini épis de maïs,
émincés en biais

150 ml de bouillon de légumes

2 tomates, épépinées
et concassées

1 cuil. à soupe de coriandre
fraîche hachée

1 cuil. à soupe de graines
de pavot

méthode

1 Rincer les lentilles à l'eau froide dans 2 ou 3 eaux, mettre dans une grande casserole et couvrir d'eau froide. Porter à ébullition, réduire le feu et laisser mijoter 15 à 20 minutes, jusqu'à ce qu'elles soient tendres. Égoutter, remettre dans la casserole et réserver au chaud.

2 Dans une autre casserole, chauffer l'huile à feu doux, ajouter les épices et le piment, et cuire 2 minutes sans cesser de remuer. Ajouter les haricots verts, le poivron et le maïs, et cuire encore 2 minutes sans cesser de remuer.

3 Mouiller avec le bouillon, porter à ébullition et réduire le feu. Laisser mijoter 5 minutes, jusqu'à ce que les légumes soient juste tendres.

4 Incorporer les légumes et leur jus de cuisson aux lentilles, ajouter les tomates et cuire 5 à 8 minutes, jusqu'à ce que le tout soit chaud.

5 Servir immédiatement, parsemé de coriandre et de graines de pavot.

tourtes aux châtaignes, à la féta & aux épinards

ingrédients

POUR 4 PERSONNES

4 cuil. à soupe d'huile d'olive

2 gousses d'ail, hachées

1/2 gros ou 1 petit céleri,
coupé en julienne

250 g de feuilles d'épinards

85 g de châtaignes, cuites,
pelées et grossièrement
hachées

200 g de féta (poids égoutté),
émiettée

1 œuf

2 cuil. à soupe de pesto

1 cuil. à soupe de persil plat
frais haché

4 feuilles de pâte filo,
de 32 x 18 cm

méthode

1 Dans une poêle, chauffer 1 cuillerée à soupe d'huile d'olive à feu moyen, ajouter l'ail et cuire 1 minute sans cesser de remuer. Ajouter le céleri et cuire encore 5 minutes, jusqu'à ce qu'il soit tendre et doré. Retirer de la poêle et réserver au chaud.

2 Ajouter 1 cuillerée à soupe d'huile dans la poêle, ajouter les épinards et couvrir. Cuire 2 à 3 minutes, jusqu'à ce que les épinards soient flétris. Retirer le couvercle et cuire jusqu'à ce que toute l'eau soit évaporée.

3 Dans une terrine, mettre l'ail, le céleri, la féta, les épinards, les châtaignes, l'œuf, le pesto et le persil, poivrer et bien mélanger le tout. Répartir la préparation dans 4 plats à gratin individuels ou dans un plat à gratin de taille moyenne.

4 Enduire chaque feuille de pâte filo avec l'huile restante, froisser et garnir de la préparation. Cuire au four préchauffé 15 à 20 minutes à 190 °C (th. 6-7), jusqu'à ce que la pâte filo soit dorée. Servir immédiatement.

terrine au stilton & aux noix

ingrédients

POUR 6 À 8 PERSONNES

2 cuil. à soupe d'huile d'olive
vierge extra, un peu plus
pour huiler

2 oignons, l'un finement haché
et l'autre coupé en quartiers

3 à 5 gousses d'ail, écrasées

2 branches de céleri,
finement émincées

175 g de châtaignes, pelées
et cuites

175 g de mélange de noix
hachées

55 g de poudre d'amande

55 g de chapelure fraîche

225 g de stilton, émietté

1 cuil. à soupe de basilic frais
haché, un peu plus pour
garnir

1 œuf, battu

sel et poivre

1 poivron rouge, mondé,
épépiné et coupé
en lanières

1 courgette d'environ 115 g,
coupée en rondelles puis
en quartiers

tomates cerises, en garniture

ketchup, pour servir

méthode

1 Dans une poêle, chauffer 1 cuillerée à soupe d'huile à feu moyen, ajouter l'oignon haché, 1 à 2 gousses d'ail et le céleri, et cuire 5 minutes en remuant de temps en temps.

2 Retirer de la poêle, égoutter et transférer dans un robot de cuisine et ajouter la chapelure, les noix, la poudre d'amande, la moitié du fromage et le basilic. Mixer le tout, incorporer progressivement l'œuf de façon à obtenir une consistance épaisse, saler et poivrer.

3 Dans une poêle, chauffer l'huile restante à feu moyen, ajouter les quartiers d'oignon, l'ail restant, le poivron et la courgette, et cuire 5 minutes en remuant souvent. Retirer la poêle du feu, saler, poivrer et égoutter le tout.

4 Dans un moule d'une contenance de 900 ml huilé, répartir la moitié de la préparation à base de noix, lisser la surface et ajouter la préparation à base d'oignon. Garnir du fromage restant, ajouter la préparation à base de noix restante et bien presser le tout. Couvrir de papier d'aluminium et cuire au four préchauffé 45 minutes à 180 °C (th. 6). Retirer le papier d'aluminium et cuire encore 25 à 35 minutes, jusqu'à ce que le tout soit cuit et ferme.

5 Retirer du four, laisser tiédir 5 minutes et démouler. Couper en tranches et servir garni de basilic, de tomates cerises et d'un peu de ketchup.

cake salé aux noisettes

ingrédients

POUR 4 PERSONNES

2 cuil. à soupe d'huile
    de tournesol, un peu
    plus pour graisser

1 oignon, haché

1 gousse d'ail, finement
    hachée

2 branches de céleri,
    hachées

1 cuil. à soupe de farine

200 ml de coulis de tomate

115 g de chapelure blonde

2 carottes, râpées

115 g de noisettes grillées,
    hachées

1 cuil. à soupe de sauce
    de soja noire

2 cuil. à soupe de coriandre
    fraîche hachée

1 œuf, légèrement battu

sel et poivre

mesclun, en accompagnement

méthode

1 Huiler un moule à cake d'une contenance de 450 ml. Dans une poêle, chauffer l'huile à feu moyen, ajouter l'oignon et cuire 5 minutes en remuant souvent, jusqu'à ce qu'il soit tendre. Ajouter l'ail et le céleri, et cuire 5 minutes en remuant souvent. Ajouter la farine et cuire 1 minute sans cesser de remuer. Incorporer progressivement le coulis de tomate et cuire sans cesser de remuer jusqu'à ce que la préparation ait épaissi. Retirer la poêle du feu.

2 Dans une terrine, mettre la chapelure, les carottes, les noisettes, la sauce de soja et la coriandre, ajouter la préparation précédente et bien mélanger. Laisser tiédir, incorporer l'œuf, saler et poivrer.

3 Répartir la préparation dans le moule, lisser la surface et couvrir de papier d'aluminium. Cuire au four préchauffé 1 heure à 180 °C (th. 6). Démouler sur un plat de service chaud et servir immédiatement accompagné de mesclun. Il est également possible de laisser refroidir dans le moule avant de servir.

salade de nouilles au tofu fumé

ingrédients

POUR 2 PERSONNES

200 g de nouilles asiatiques

250 g de tofu ferme fumé
(poids égoutté)

200 g de chou blanc,
finement ciselé

250 g de carottes, râpées

3 oignons verts, émincés
en biais

1 piment rouge frais, épépiné
et coupé en fines rouelles

2 cuil. à soupe de graines
de sésame, grillées

sauce

1 cuil. à café de gingembre
frais râpé

1 gousse d'ail, hachée

175 g de tofu soyeux
(poids égoutté)

4 cuil. à café de sauce
de soja

2 cuil. à soupe d'huile
de sésame

4 cuil. à soupe d'eau chaude

sel

méthode

1 Cuire les nouilles à l'eau bouillante salée selon les instructions figurant sur le paquet, égoutter et rafraîchir à l'eau courante.

2 Pour la sauce, mettre le gingembre, l'ail, le tofu soyeux, la sauce de soja, l'huile et l'eau dans un bol, saler et battre jusqu'à obtention d'une consistance crémeuse et homogène.

3 Mettre le tofu fumé dans un panier à étuver, cuire 5 minutes à la vapeur et couper en lamelles.

4 Dans une terrine, mettre le chou, les carottes, les oignons verts et le piment, et mélanger. Pour servir, répartir les nouilles dans des assiettes, garnir du mélange précédent et ajouter les lamelles de tofu. Napper de sauce et parsemer de graines de sésame.

galettes de tofu thaïes
& leur sauce au piment

ingrédients

POUR 8 PERSONNES

300 g de tofu ferme
(poids égoutté), râpé

1 tige de citronnelle, couche
supérieure retirée, hachée

2 gousses d'ail, hachées

1 morceau de gingembre frais
de 2,5 cm, pelé et râpé

2 feuilles de lime kafir,
hachées (facultatif)

2 échalotes, hachées

2 piments rouges frais,
épépinés et hachés

4 cuil. à soupe de coriandre
hachée

90 g de farine, un peu plus
pour pétrir

1/2 cuil. à café de sel

huile de maïs, pour la cuisson

sauce au piment

3 cuil. à soupe de vinaigre
de vin de riz

2 oignons verts, finement
émincés

1 cuil. à soupe de sucre

2 piments frais, hachés

2 cuil. à soupe de coriandre
fraîche hachée

1 pincée de sel

méthode

1 Pour la sauce, mettre tous les ingrédients
dans un bol, bien mélanger et réserver.

2 Dans une terrine, mettre le tofu, la citronnelle,
l'ail, le gingembre, les feuilles de lime kafir, les
échalotes, les piments et la coriandre, mélanger
et incorporer la farine et le sel de façon à obtenir
une pâte épaisse et collante. Couvrir, mettre
au réfrigérateur et laisser reposer 1 heure,
jusqu'à ce que la préparation se raffermisse.

3 Les mains farinées, diviser la préparation
en huit, façonner en boule et aplatir légèrement.
Dans une sauteuse, chauffer de l'huile à feu
moyen, ajouter 4 galettes et cuire 4 à 6 minutes
en retournant à mi-cuisson, jusqu'à ce qu'elles
soient dorées. Égoutter sur du papier absorbant
et répéter l'opération avec les galettes restantes.
Servir chaud accompagné de sauce au piment.

sauté de tofu épicé

ingrédients

POUR 4 PERSONNES

marinade

75 ml de bouillon de légumes

2 cuil. à café de maïzena

2 cuil. à soupe de sauce
de soja

1 cuil. à soupe de sucre
en poudre

1 pincée de flocons
de piment

sauté

250 g de tofu ferme, rincé,
égoutté et coupé en dés
de 1 cm

4 cuil. à soupe d'huile
d'arachide

1 cuil. à soupe de gingembre
frais râpé

3 gousses d'ail, hachées

4 oignons verts, finement
émincés

1 brocoli, séparé en fleurettes

1 carotte, coupée
en julienne

1 poivron jaune, finement
émincé

250 g de shiitake, finement
émincés

riz cuit à la vapeur,
en accompagnement

méthode

1 Dans une terrine, mettre le bouillon, la sauce de soja, la maïzena, le sucre et les flocons de piment, mélanger et incorporer le tofu. Laisser mariner 20 minutes.

2 Dans un wok, chauffer 2 cuillerées à soupe d'huile d'arachide, ajouter la marinade et le tofu, et faire revenir jusqu'à ce que le tofu soit doré et croustillant. Retirer du wok et réserver.

3 Dans le wok, chauffer l'huile restante, ajouter le gingembre, l'ail et les oignons verts, et faire revenir 30 secondes. Ajouter le brocoli, la carotte, le poivron et les champignons, et cuire 5 à 6 minutes. Remettre le tofu dans le wok, réchauffer et servir immédiatement, accompagné de riz cuit à la vapeur.

pâtes, nouilles & riz

Les pâtes, les nouilles et le riz se prêtent admirablement à la cuisine végétarienne. Le choix des sauces est illimité, et vous trouverez dans ce livre plusieurs recettes tout à fait spéciales – celle des fusillis au gorgonzola et aux champignons, par exemple, est riche, élégante et très goûteuse, tandis que les pâtes au pesto sont incontournables. Si vous n'avez jamais préparé de pesto maison, vous serez surpris de constater à quel point c'est facile. Cueillez le basilic à la dernière minute pour qu'il soit le plus frais possible.

Les nouilles structurent merveilleusement les plats de friture, mais si vous voulez innover dans la manière de les servir, essayez les légumes à l'aigre-douce & crêpes aux nouilles ou faites-les cuire dans un bouillon, en même temps que les légumes, mode de cuisson idéal pour les régimes basses calories.

La plupart des cultures du monde disposent d'un plat de riz traditionnel ; en Italie, il s'agit du risotto, réalisé à l'aide d'un grain rond qui libère son amidon à la cuisson pour donner un mets crémeux. Goûtez le risotto primavera, avec des légumes de printemps frais. La paëlla est le plat traditionnel espagnol. Le safran le colore de jaune, et c'est la nourriture idéale pour ce pays de soleil. Si vous êtes friand de cuisine asiatique, essayez le sauté de légumes verts, typique de la Thaïlande ou le biryani de légumes, plat classique originaire de l'Inde. Vous ne serez jamais à court d'inspiration !

lasagnes végétariennes

ingrédients

POUR 4 PERSONNES

huile d'olive, pour graisser

2 aubergines, coupées
  en rondelles

30 g de beurre

1 gousse d'ail, finement
  hachée

4 courgettes, coupées
  en rondelles

1 cuil. à soupe de persil plat
  frais haché

1 cuil. à soupe de marjolaine
  fraîche finement hachée

225 g de mozzarella, râpée

625 ml de coulis de tomate
  en boîte

175 g de lasagnes non
  précuites

sel et poivre

55 g de parmesan,
  fraîchement râpé

béchamel

300 ml de lait

1 feuille de laurier

6 grains de poivre noir

rondelles d'oignon

1 pincée de macis

30 g de beurre

3 cuil. à soupe de farine

sel et poivre

méthode

1 Pour la béchamel, verser le lait dans une casserole, ajouter la feuille de laurier, les grains de poivre, l'oignon et le macis, et porter au point de frémissement. Retirer du feu et couvrir. Laisser infuser 10 minutes et filtrer. Dans une autre casserole, faire fondre le beurre, ajouter la farine et cuire 1 minute à feu doux sans cesser de remuer. Incorporer progressivement le lait, porter à ébullition et cuire sans cesser de remuer jusqu'à obtention d'une béchamel fluide et épaisse. Saler et poivrer.

2 Huiler un gril en fonte et chauffer jusqu'à ce que l'huile soit fumante, ajouter la moitié des rondelles d'aubergines et cuire 8 minutes à feu moyen, jusqu'à ce qu'elles soient uniformément dorées. Égoutter sur du papier absorbant et répéter l'opération avec les rondelles restantes.

3 Dans une poêle, faire fondre le beurre, ajouter l'ail, les courgettes, le persil et la marjolaine, et cuire 5 minutes à feu moyen en remuant souvent, jusqu'à ce que les courgettes soient dorées. Égoutter sur du papier absorbant.

4 Dans un plat à gratin, alterner des couches d'aubergines, de courgettes, de mozzarella, de coulis de tomate et de lasagnes en salant et poivrant au fur et à mesure. Badigeonner d'huile d'olive, napper de béchamel et garnir de parmesan. Cuire 30 à 40 minutes au four préchauffé à 200 °C (th. 6-7), jusqu'à ce que les lasagnes soient dorées.

fusillis au gorgonzola & aux champignons

ingrédients

POUR 4 PERSONNES

350 g de fusillis

3 cuil. à soupe d'huile d'olive

350 g de champignons
    sauvages, émincés

1 gousse d'ail, finement
    hachée

400 ml de crème fraîche
    épaisse

250 g de gorgonzola, émietté

sel et poivre

2 cuil. à soupe de persil plat
    frais haché

méthode

1 Porter à ébullition une casserole d'eau salée, ajouter les pâtes et cuire 8 à 10 minutes, jusqu'à ce qu'elles soient *al dente*.

2 Dans une casserole, chauffer l'huile d'olive, ajouter les champignons et cuire 5 minutes à feu doux en remuant souvent. Ajouter l'ail et cuire encore 2 minutes.

3 Ajouter la crème fraîche, porter à ébullition et cuire 1 minute, jusqu'à ce qu'elle ait épaissi. Incorporer le gorgonzola et cuire à feu doux jusqu'à ce qu'il ait fondu. Veiller à ne pas laisser bouillir la sauce une fois le fromage incorporé. Saler, poivrer et retirer du feu.

4 Égoutter les pâtes, incorporer à la sauce aux champignons et servir immédiatement, garnir de persil.

pâtes au brocoli pimenté

ingrédients

POUR 4 PERSONNES

225 g de pennes
    ou de macaronis
225 g de brocoli,
    séparé en fleurettes
50 ml d'huile d'olive vierge
    extra
2 gousses d'ail, hachées
2 piments rouges frais,
    épépinés et hachés
8 tomates cerises (facultatif)
feuilles de basilic frais,
    en garniture
sel

méthode

1 Porter à ébullition une casserole d'eau salée, ajouter les pâtes et cuire 8 à 10 minutes, jusqu'à ce qu'elles soient *al dente*. Rafraîchir à l'eau courante, égoutter et réserver.

2 Porter une autre casserole d'eau salée à ébullition, ajouter le brocoli et cuire 5 minutes. Égoutter, rafraîchir à l'eau courante et égoutter de nouveau.

3 Dans la casserole ayant servi à la cuisson des pâtes, chauffer l'huile, ajouter l'ail, les piments et les tomates, et cuire 1 minute sans cesser de remuer.

4 Ajouter le brocoli, mélanger et cuire 2 minutes sans cesser de remuer de façon à bien réchauffer le brocoli. Incorporer les pâtes et cuire encore 1 minute. Transférer la préparation obtenue dans un plat de service chaud, garnir de feuilles de basilic et servir immédiatement.

pâtes au pesto

ingrédients

POUR 4 PERSONNES

450 g de tagliatelles

sel

brins de basilic frais,
en garniture

pesto

2 gousses d'ail

25 g de pignons

sel

115 g de feuilles de basilic
fraîches

55 g de parmesan,
fraîchement râpé

125 ml d'huile d'olive

méthode

1 Pour le pesto, mettre l'ail, les pignons,
1 pincée de sel et le basilic dans un mortier,
piler jusqu'à obtention d'une consistance
homogène. Transférer dans un bol et incorporer
progressivement le parmesan et l'huile d'olive
sans cesser de battre à l'aide d'une cuillère
en bois de façon à obtenir une sauce
crémeuse. Rectifier l'assaisonnement.

2 À défaut de mortier et de pilon, mettre l'ail,
les pignons et 1 pincée de sel dans un robot de
cuisine et mixer quelques secondes. Ajouter
le basilic et mixer jusqu'à obtention d'une
consistance homogène. Moteur en marche,
ajouter progressivement l'huile d'olive. Racler
les parois, incorporer le parmesan et saler.

3 Porter une casserole d'eau salée à ébullition,
ajouter les pâtes et cuire 8 à 10 minutes, jusqu'à
ce que les pâtes soient *al dente*. Égoutter,
remettre dans la casserole et incorporer
la moitié du pesto. Répartir le tout dans des
assiettes chaudes, garnir du pesto restant
et de brins de basilic. Servir immédiatement.

macaronis au fromage

ingrédients

POUR 4 PERSONNES

225 g de macaronis

2 portions de béchamel
(*voir* page 104)

1 œuf, battu

125 g de cheddar, râpé

1 cuil. à soupe de moutarde
à l'ancienne

2 cuil. à soupe de ciboulette
fraîche hachée

sel et poivre

4 tomates, coupées
en rondelles

125 g de leicester, râpé

60 g de bleu, râpé

2 cuil. à soupe de graines
de tournesol

brins de ciboulette fraîche,
hachés

méthode

1 Porter à ébullition une casserole d'eau salée, ajouter les pâtes et cuire 8 à 10 minutes, jusqu'à ce qu'elles soient *al dente*. Égoutter et répartir dans un plat à gratin.

2 Mélanger la béchamel, l'œuf battu, le cheddar, la moutarde et la ciboulette, saler et poivrer. Répartir le mélange obtenu sur les macaronis de façon à les recouvrir totalement. Garnir de rondelles de tomates.

3 Parsemer le tout de leicester, de bleu et de graines de tournesol, placer le plat sur une plaque et cuire au four préchauffé 25 à 30 minutes à 190 °C (th. 6-7), jusqu'à ce que le gratin soit doré. Garnir de ciboulette et servir immédiatement.

pâtes crémeuses aux épinards

ingrédients

POUR 4 PERSONNES

300 g de pennes ou des
   pâtes de son choix
2 cuil. à soupe d'huile d'olive
250 g de champignons,
   émincés
1 cuil. à café d'origan séché
275 ml de bouillon de légumes
1 cuil. à soupe de jus
   de citron
6 cuil. à soupe de fromage
   frais à 70 % de M. G.
200 g d'épinards surgelés
sel et poivre

méthode

1 Cuire les pâtes à l'eau bouillante salée selon les instructions figurant sur le paquet et égoutter en réservant 175 ml de l'eau de cuisson.

2 Dans une poêle, chauffer l'huile à feu moyen, ajouter les champignons et cuire 8 minutes en remuant souvent, jusqu'à ce qu'ils soient presque croustillants. Incorporer l'origan, mouiller avec le bouillon et le jus de citron, et cuire 10 à 12 minutes, jusqu'à ce que la sauce ait réduit de moitié.

3 Incorporer le fromage frais et les épinards, et cuire 3 à 5 minutes à feu moyen. Mouiller avec l'eau de cuisson réservée et ajouter les pâtes. Saler, poivrer et bien réchauffer le tout avant de servir.

spaghettis aux aubergines

ingrédients

POUR 4 PERSONNES

2 cuil. à soupe d'huile d'olive

1 gros oignon rouge, haché

2 gousses d'ail, hachées

1 cuil. à soupe de jus
    de citron

4 petites aubergines, coupées
    en quartiers

625 ml de coulis de tomate

sel et poivre

2 cuil. à café de sucre
    en poudre

2 cuil. à soupe de concentré
    de tomate

400 g de cœurs d'artichauts
    en boîte, égouttés
    et coupés en deux

125 g d'olives noires
    dénoyautées

350 g de spaghettis

brins de basilic frais,
    en garniture

pain aux olives,
    en accompagnement

méthode

1 Dans une poêle, chauffer 1 cuillerée à soupe d'huile, ajouter l'oignon, l'ail, le jus de citron et les aubergines, et cuire 4 à 5 minutes à feu doux, jusqu'à ce que le tout soit légèrement doré.

2 Verser le coulis de tomate dans la poêle, saler et poivrer. Ajouter le sucre et le concentré de tomate, porter à ébullition et réduire le feu. Laisser mijoter 20 minutes, incorporer les cœurs d'artichauts et les olives, et cuire 5 minutes.

3 Porter une casserole d'eau salée à ébullition, ajouter les pâtes et cuire 8 à 10 minutes, jusqu'à ce qu'elles soient *al dente*. Égoutter, incorporer l'huile d'olive restante, saler et poivrer.

4 Transférer les spaghettis dans un plat de service chaud, garnir de légumes en sauce et de brins de basilic. Servir accompagné de pain aux olives.

radiatore & leur sauce au potiron

ingrédients

POUR 4 PERSONNES

55 g de beurre

115 g d'oignons blancs
ou d'échalotes, très
finement hachés

800 g de potiron
(poids total)

1 pincée de noix muscade

350 g de radiatore

200 ml de crème fraîche
liquide

4 cuil. à soupe de parmesan
râpé, un peu plus pour
garnir

2 cuil. à soupe de persil plat
frais haché

sel et poivre

méthode

1 Dans une casserole, faire fondre le beurre
à feu doux, ajouter les oignons, saler et
couvrir. Cuire 25 à 30 minutes en remuant
souvent.

2 Peler le potiron, épépiner et hacher la pulpe.
Ajouter la pulpe dans la casserole, incorporer
la noix muscade et couvrir. Cuire 45 minutes
à feu doux en remuant de temps en temps.

3 Porter à ébullition une casserole d'eau salée,
ajouter les pâtes et cuire 8 à 10 minutes,
jusqu'à ce qu'elles soient *al dente*. Égoutter
en réservant 150 ml d'eau de cuisson.

4 Incorporer la crème fraîche, le parmesan
et le persil à la préparation à base de potiron,
saler et poivrer. Allonger éventuellement avec
l'eau de cuisson des pâtes si la préparation
semble trop épaisse. Incorporer les pâtes et
chauffer sans cesser de remuer 1 minute.
Servir immédiatement, garni de parmesan.

sauté de légumes au vermicelle frit

ingrédients

POUR 4 PERSONNES

huile de tournesol, pour
   la friture

115 g de vermicelle de riz,
   brisé en tronçons
   de 7,5 cm

115 g de haricots verts,
   coupés en petits tronçons

2 carottes, coupées
   en julienne

2 courgettes, coupées
   en julienne

115 g de shiitake, émincés

1 morceau de gingembre
   de 2,5 cm, râpé

1/2 petit chou nappa, ciselé

4 oignons verts, émincés

85 g de germes de soja

2 cuil. à soupe de sauce
   de soja noire

2 cuil. à soupe de vin de riz
   chinois

1 bonne pincée de sucre

2 cuil. à soupe de coriandre
   fraîche hachée

méthode

1 Remplir à demi d'huile un wok ou une grande casserole et chauffer à 180 °C – un dé de pain doit y brunir en 30 secondes.

2 Ajouter une portion de vermicelle et cuire 1 min 30 à 2 minutes, jusqu'à ce qu'il soit croustillant et gonflé. Retirer de l'huile, égoutter sur du papier absorbant et répéter l'opération avec le vermicelle restant. Vider le wok ou la casserole en y laissant l'équivalent de 2 cuillerées à soupe d'huile.

3 Chauffer l'huile à feu vif, ajouter les haricots verts et faire revenir 2 minutes. Ajouter les carottes, les courgettes, les champignons et le gingembre, et faire revenir encore 2 minutes.

4 Ajouter le chou, les oignons verts et les germes de soja, et faire revenir 1 minute. Ajouter la sauce de soja, le vin de riz et le sucre, et cuire 1 minute sans cesser de remuer.

5 Ajouter la coriandre hachée, bien mélanger et servir immédiatement accompagné de vermicelle frit.

légumes chinois & leurs nouilles

ingrédients

POUR 4 PERSONNES

1,25 l de bouillon de légumes

1 gousse d'ail, hachée

1 morceau de gingembre frais
de 1 cm, râpé

225 g de nouilles aux œufs

1 poivron rouge, épépiné
et émincé

85 g de petits pois surgelés

115 g de fleurettes de brocoli

85 g de shiitake, émincés

2 cuil. à soupe de graines
de sésame

225 g de châtaignes d'eau
en boîte, égouttées
et coupées en deux

225 g de pousses de bambou
en boîte, égouttées

280 g de chou nappa, ciselé

140 g de germes de soja

3 oignons verts, émincés

1 cuil. à soupe de soja noire

poivre

méthode

1 Dans une casserole, mettre le bouillon, l'ail et le gingembre, porter à ébullition et ajouter les nouilles, le poivron, les petits pois, le brocoli et les champignons. Porter de nouveau à ébullition, réduire le feu et couvrir. Laisser mijoter 5 à 6 minutes, jusqu'à ce que les nouilles soient tendres.

2 Répartir les graines de sésame sur une plaque en une seule couche et passer au gril préchauffé en remuant souvent, jusqu'à ce qu'elles soient dorées. Transférer dans un bol et réserver.

3 Dans la casserole, ajouter les châtaignes d'eau, les pousses de bambou, le chou, les germes de soja et les oignons verts, porter à ébullition et laisser mijoter 2 à 3 minutes, jusqu'à ce que le tout soit bien chaud.

4 Égoutter en réservant 300 ml d'eau de cuisson et transférer dans un plat de service chaud. Délayer la sauce de soja dans l'eau réservée, arroser les légumes et poivrer. Servir immédiatement, garni de graines de sésame grillées.

légumes à l'aigre-douce & crêpes aux nouilles

ingrédients

POUR 4 PERSONNES

115 g de nouilles de riz

6 œufs

4 oignons verts, coupés en dés

sel et poivre

2¹/₂ cuil. à soupe d'huile

900 g d'un mélange de légumes, carottes, mini-épis de maïs, chou-fleur, brocoli, pois mangetout et oignons par exemple, pelés si nécessaire et coupés en dés de tailles équivalentes

100 g de pousses de bambou en boîte, égouttées

200 g de sauce aigre-douce prête à l'emploi

méthode

1 Dans une terrine, mettre les nouilles, couvrir d'eau tiède et laisser reposer 20 minutes, jusqu'à ce qu'elles soient tendres. Égoutter, couper en tronçons de 7,5 cm à l'aide d'une paire de ciseaux et réserver.

2 Battre les œufs, incorporer aux nouilles et ajouter les oignons verts. Saler et poivrer. Chauffer une poêle de 20 cm de diamètre à feu vif, ajouter 1 cuillerée à soupe d'huile et verser un quart de la préparation à base d'œufs de sorte que le fond de la poêle soit recouvert entièrement. Réduire le feu et cuire 1 minute, jusqu'à ce que la crêpe ait pris. Retourner en ajoutant éventuellement de l'huile et cuire sur l'autre face jusqu'à ce qu'elle soit dorée. Retirer de la poêle, réserver au chaud et répéter l'opération de façon à obtenir 4 crêpes.

3 Chauffer un wok ou une poêle à feu vif, ajouter 1¹/₂ cuillerée à soupe d'huile d'olive et chauffer jusqu'à ce qu'elle soit fumante. Ajouter les légumes les plus épais en premier et faire revenir 30 secondes. Incorporer progressivement les légumes restants et les pousses de bambou, ajouter la sauce et faire revenir jusqu'à ce que les légumes soient tendres et que la sauce soit chaude. Répartir les crêpes dans des assiettes, garnir de légumes en sauce et servir.

risotto aux noix

ingrédients

POUR 4 PERSONNES

70 g de beurre

1 petit oignon,
    finement haché

280 g de riz arborio

1,25 l de bouillon de légumes
    frémissant

sel et poivre

115 g de cerneaux de noix

85 g de parmesan,
    fraîchement râpé

55 g de mascarpone

55 g de gorgonzola, coupé
    en dés

méthode

1 Dans une casserole, faire fondre 30 g de beurre à feu moyen, ajouter l'oignon et cuire 5 à 7 minutes en remuant de temps en temps, jusqu'à ce qu'il soit tendre et commence à dorer. Ne pas laisser brunir.

2 Réduire le feu, ajouter le riz et cuire 2 à 3 minutes sans cesser de remuer, jusqu'à ce que les grains soient translucides.

3 Mouiller avec une louche de bouillon, cuire jusqu'à ce que le liquide soit absorbé et répéter l'opération jusqu'à épuisement du bouillon. Au bout de 20 minutes, tout le bouillon doit être absorbé et le riz crémeux. Saler et poivrer.

4 Dans une poêle, faire fondre 30 g de beurre à feu moyen, ajouter les noix et faire revenir 2 à 3 minutes, jusqu'à ce qu'elles commencent à brunir.

5 Retirer le risotto du feu, ajouter le beurre restant et bien mélanger. Incorporer les fromages et remuer jusqu'à ce qu'ils aient fondu. Ajouter les trois quarts des noix et répartir dans des assiettes chaudes. Servir parsemé des noix restantes.

risotto aux champignons

ingrédients

POUR 6 PERSONNES

55 g de cèpes ou de morilles séchés

500 g d'un mélange de champignons sauvages, les plus gros coupés en deux

4 cuil. à soupe d'huile d'olive

3 à 4 gousses d'ail, finement hachées

55 g de beurre

1 oignon, finement haché

350 g de riz arborio

50 ml de vermouth blanc

1,25 l de bouillon de légumes frémissant

sel et poivre

115 g de parmesan, fraîchement râpé

4 cuil. à soupe de persil plat frais haché

méthode

1 Dans une terrine résistant à la chaleur, mettre les champignons séchés, couvrir d'eau bouillante et laisser tremper 30 minutes. Égoutter et sécher. Filtrer l'eau de trempage et réserver.

2 Parer les champignons frais et brosser. Dans une poêle, chauffer 3 cuillerées à soupe d'huile, ajouter les champignons frais et faire revenir 1 à 2 minutes. Ajouter l'ail et les champignons réhydratés et cuire 2 minutes en remuant souvent. Transférer dans une terrine et réserver.

3 Dans une casserole, chauffer l'huile restante et la moitié du beurre, ajouter l'oignon et cuire à feu moyen sans cesser de remuer jusqu'à ce qu'il soit tendre. Réduire le feu, ajouter le riz et cuire sans cesser de remuer jusqu'à ce que les grains soient translucides. Mouiller avec le vermouth et cuire 1 minute sans cesser de remuer, jusqu'à ce qu'il soit évaporé.

4 Mouiller avec une louche de bouillon, cuire jusqu'à ce que le liquide soit absorbé et répéter l'opération jusqu'à épuisement du bouillon. Au bout de 20 minutes, tout le bouillon doit être absorbé et le riz crémeux. Saler et poivrer.

5 Mouiller avec la moitié de l'eau de trempage, ajouter les champignons, saler et poivrer. Ajouter l'eau de trempage restante si nécessaire. Retirer du feu, incorporer le beurre restant, le parmesan et le persil haché, et servir.

risotto primavera

ingrédients

POUR 6 À 8 PERSONNES

225 g de fines asperges
fraîches

4 cuil. à soupe d'huile d'olive

175 g de haricots verts,
coupés en tronçons
de 2,5 cm

175 g de petites courgettes,
coupées en quartiers puis
en tronçons de 2,5 cm

225 g de petits pois frais

1 oignon, finement haché

1 à 2 gousses d'ail,
finement hachées

350 g de riz arborio

1,6 l de bouillon de légumes
frémissant

4 oignons verts, coupés
en tronçons de 2,5 cm

sel et poivre

55 g de beurre

115 g de parmesan,
fraîchement râpé

2 cuil. à soupe de ciboulette
fraîche hachée

2 cuil. à soupe de basilic frais
haché

oignons verts, en garniture
(facultatif)

méthode

1 Ébouter les asperges, couper les pointes et réserver. Détailler les tiges en tronçons de 2,5 cm et ajouter au pointes.

2 Dans une poêle, chauffer 2 cuillerées à soupe d'huile à feu vif, ajouter les asperges, les haricots, les courgettes et les petits pois, et faire revenir 3 à 4 minutes, jusqu'à ce que les légumes soient tendres et d'un vert brillant. Réserver.

3 Dans une casserole, chauffer l'huile restante à feu moyen, ajouter l'oignon et cuire 3 minutes en remuant souvent, jusqu'à ce qu'il soit tendre. Ajouter l'ail et cuire 30 secondes sans cesser de remuer. Réduire le feu, ajouter le riz et cuire 2 à 3 minutes, jusqu'à ce que les grains soient translucides.

4 Mouiller avec une louche de bouillon, cuire jusqu'à ce que le liquide soit absorbé et répéter l'opération jusqu'à épuisement du bouillon, en réservant 2 cuillerées à soupe. Au bout de 20 minutes, tout le bouillon doit être absorbé et le riz crémeux. Saler et poivrer.

5 Incorporer les légumes cuits, les oignons verts et le bouillon restant, et cuire 2 minutes en remuant souvent. Saler, poivrer et ajouter le beurre, le parmesan, la ciboulette et le basilic. Retirer du feu et servir immédiatement, garnir éventuellement d'oignons verts.

galettes de risotto épicées

ingrédients

POUR 3 PERSONNES

85 g d'oignon, finement haché

85 g de poireau, finement haché

25 g de riz arborio

550 ml de bouillon de légumes

85 g de courgette, râpée

1 cuil. à soupe de basilic frais haché

25 g de chapelure blonde

huile en spray

feuilles de radicchio, en accompagnement

garniture

50 g de fromage frais à 70 % de M. G.

50 g de mangue, coupée en dés

1 cuil. à café de zeste de citron vert râpé

1 cuil. à café de jus de citron vert

1 pincée de poivre de Cayenne

méthode

1 Chauffer une poêle antiadhésive à feu vif, ajouter l'oignon et le poireau, et cuire 2 à 3 minutes sans cesser de remuer, jusqu'à ce qu'ils soient tendres, sans laisser dorer.

2 Ajouter le riz, mouiller avec le bouillon et porter à ébullition. Laisser bouillir 2 minutes sans cesser de remuer, réduire le feu et cuire encore 15 minutes en remuant toutes les 2 à 3 minutes. Lorsque le riz est presque cuit et le bouillon absorbé, incorporer la courgette et le basilic, et cuire 5 à 10 minutes à feu vif sans cesser de remuer jusqu'à ce que la préparation soit collante et sèche. Transférer sur une assiette et laisser refroidir.

3 Pour la garniture, mettre les ingrédients dans un bol et mélanger.

4 Diviser la préparation à base de riz en trois, façonner des galettes et creuser une cavité au centre. Placer 1 cuillerée à soupe de garniture dans chaque cavité, refermer les galettes de façon à enfermer la garniture et refaçonner à l'aide d'un couteau. Enrober chaque galette de chapelure, disposer sur une plaque et vaporiser d'huile. Cuire au four préchauffé 15 à 20 minutes à 200 °C (th. 6-7), jusqu'à ce que les galettes soient dorées. Servir accompagné de feuilles de radicchio.

sauté de légumes verts au riz au jasmin

ingrédients

POUR 4 PERSONNES

225 g de riz au jasmin

2 cuil. à soupe d'huile
   d'arachide

1 cuil. à soupe de pâte
   de curry verte

6 oignons verts, émincés

2 gousses d'ail, hachées

1 courgette, coupée
   en julienne

115 g de haricots verts

175 g d'asperges, parées

3 à 4 feuilles de basilic thaï
   frais

sel

méthode

1 Cuire le riz dans de l'eau bouillante salée 12 à 15 minutes, bien égoutter et laisser refroidir. Mettre au réfrigérateur une nuit.

2 Dans un wok, chauffer l'huile, ajouter la pâte de curry et faire revenir 1 minute. Ajouter l'ail et les oignons verts, et faire revenir encore 1 minute.

3 Ajouter la courgette, les haricots verts et les asperges, et faire revenir 3 à 4 minutes, jusqu'à ce que le tout soit juste tendre. Aérer le riz à la fourchette, ajouter dans le wok et cuire 2 à 3 minutes sans cesser de remuer, jusqu'à ce que le riz soit chaud. Incorporer les feuilles de basilic thaï et servir chaud.

pilaf de légumes

ingrédients

POUR 4 PERSONNES

4 cuil. à soupe d'huile

1 oignon rouge, finement haché

2 branches de céleri tendres, avec les feuilles, coupées en dés

2 carottes, grossièrement râpées

1 piment vert frais, épépiné et haché

3 oignons verts, partie verte incluse, émincés

40 g d'amandes entières, coupées en deux dans la longueur

350 g de riz basmati brun, cuit

150 g de lentilles rouges, cuites

175 ml de bouillon de légumes

5 cuil. à soupe de jus d'orange frais

sel et poivre

feuilles de céleri, en garniture

méthode

1 Dans une poêle, chauffer 2 cuillerées à soupe d'huile à feu moyen, ajouter l'oignon et cuire 5 minutes, jusqu'à ce qu'il soit tendre.

2 Ajouter le céleri, les carottes, le piment, les oignons verts et les amandes, et faire revenir 2 minutes, jusqu'à ce que les légumes soient *al dente*. Transférer dans une terrine et réserver.

3 Chauffer l'huile restante dans la poêle, ajouter le riz et les lentilles, et cuire 1 à 2 minutes à feu moyen sans cesser de remuer, jusqu'à ce que le tout soit bien chaud. Réduire le feu, mouiller avec le bouillon et le jus d'orange, saler et poivrer.

4 Remettre les légumes dans la poêle, bien mélanger et réchauffer le tout. Transférer dans un plat de service chaud, garnir de feuilles de céleri et servir.

paëlla aux artichauts

ingrédients

POUR 4 À 6 PERSONNES

$^1/_2$ cuil. à café de filaments de safran

2 cuil. à soupe d'eau chaude

3 cuil. à soupe d'huile d'olive

1 gros oignon, haché

1 courgette, détaillée en dés

2 gousses d'ail, hachées

$^1/_4$ de cuil. à café de poivre de Cayenne

225 g de tomates, mondées et coupées en quartiers

425 g de pois chiches en boîte, égouttés

425 g de cœurs d'artichauts en boîte, égouttés et grossièrement hachés

350 g de riz pour paëlla

1,3 l de bouillon de légumes

150 g de haricots verts, blanchis

sel et poivre

1 citron coupé en quartiers et persil ciselé en garniture

méthode

1 Laisser infuser le safran dans l'eau chaude quelques minutes.

2 Dans un plat à paëlla, chauffer l'huile, ajouter l'oignon et la courgette, et cuire à à feu moyen 2 à 3 minutes sans cesser de remuer, jusqu'à ce qu'ils soient tendres. Ajouter l'ail, le poivre de Cayenne, le safran et son eau de trempage, et cuire 1 minute sans cesser de remuer. Ajouter les tomates, les pois chiches et les cœurs d'artichauts, et cuire encore 2 minutes sans cesser de remuer.

3 Ajouter le riz et cuire 1 minute sans cesser de remuer, jusqu'à ce qu'il soit translucide. Mouiller avec 1 litre de bouillon, porter à ébullition et laisser mijoter 10 minutes sans couvrir. Ne pas remuer pendant la cuisson mais secouer le plat une ou deux fois en ajoutant les ingrédients. Saler et poivrer, ajouter les haricots verts, et cuire encore 10 à 15 minutes, jusqu'à ce que le riz soit presque cuit. Mouiller avec du bouillon supplémentaire si nécessaire.

4 Retirer du feu dès que tout le liquide est absorbé et qu'une délicate odeur de grillé se dégage. Couvrir de papier d'aluminium, laisser reposer 5 minutes et servir accompagné de quartiers de citron et garni de persil.

paëlla végétarienne

ingrédients

POUR 4 À 6 PERSONNES

1/2 cuil. à café de filaments
   de safran

2 cuil. à soupe d'eau chaude

6 cuil. à soupe d'huile d'olive

1 oignon espagnol, émincé

3 gousses d'ail, émincées

1 poivron rouge, épépiné
   et coupé en dés

1 poivron orange, épépiné
   et coupé en dés

1 grosse aubergine, coupée
   en dés

200 g de riz pour paëlla

625 ml de bouillon de légumes

450 g de tomates, mondées
   et concassées

sel et poivre

115 g de champignons,
   émincés

115 g de haricots verts, coupés
   en deux

400 g de haricots borlotti
   en boîte

méthode

1 Laisser infuser le safran dans l'eau chaude quelques minutes.

2 Dans un plat à paëlla, chauffer l'huile à feu moyen, ajouter l'oignon et cuire 2 à 3 minutes sans cesser de remuer, jusqu'à ce qu'il soit tendre. Ajouter l'ail, les poivrons et l'aubergine, et cuire 5 minutes en remuant souvent.

3 Ajouter le riz et cuire 1 minute sans cesser de remuer, jusqu'à ce qu'il soit brillant et bien enrobé de matières grasses. Mouiller avec le bouillon, ajouter les tomates, le safran et son eau de trempage, saler et poivrer. Porter à ébullition, réduire le feu et laisser mijoter 15 minutes en secouant souvent la poêle et en remuant de temps en temps.

4 Incorporer les champignons, les haricots verts et les haricots borlotti avec leur jus, cuire encore 10 minutes et servir immédiatement.

paëlla aux légumes

ingrédients

POUR 4 À 6 PERSONNES

1/2 cuil. à café de filaments
   de safran

2 cuil. à soupe d'eau chaude

3 cuil. à soupe d'huile d'olive

1 gros oignon, haché

2 gousses d'ail, hachées

1 cuil. à café de paprika

225 g de tomates, mondées
   et coupées en quartiers

1 poivron rouge et 1 poivron
   vert, grillés, épépinés,
   pelés et coupés
   en lanières

425 g de pois chiches
   en boîte, égouttés

350 g de riz pour paëlla

1,3 l de bouillon de légumes

55 g de petits pois

150 g d'asperges, blanchies

1 cuil. à soupe de persil plat
   frais haché, un peu plus
   pour garnir

sel et poivre

1 citron coupé en quartiers,
   en garniture

méthode

1 Laisser infuser le safran dans l'eau chaude quelques minutes.

2 Dans un plat à paëlla, chauffer l'huile, ajouter l'oignon et cuire 2 à 3 minutes à feu moyen sans cesser de remuer, jusqu'à ce qu'il soit tendre. Ajouter l'ail, le paprika et le safran avec son eau de trempage, et cuire 1 minute sans cesser de remuer. Ajouter les tomates, les pois chiches et les poivrons, et cuire 2 minutes.

3 Ajouter le riz et cuire 1 minute sans cesser de remuer, jusqu'à ce qu'il soit translucide. Mouiller avec 1 litre de bouillon, porter à ébullition et réduire le feu. Laisser mijoter 10 minutes sans couvrir. Ne pas remuer pendant la cuisson mais secouer le plat une ou deux fois en ajoutant les ingrédients. Saler et poivrer, ajouter les petits pois, les asperges et le persil, et cuire encore 10 à 15 minutes, jusqu'à ce que le riz soit presque cuit. Mouiller avec du bouillon supplémentaire si nécessaire.

4 Retirer du feu dès que le liquide est absorbé et qu'une délicate odeur de grillé se dégage. Couvrir de papier d'aluminium, laisser reposer 5 minutes et servir accompagné de quartiers de citron et garni de persil.

biryani de légumes

ingrédients

POUR 4 PERSONNES

2 cuil. à soupe d'huile

3 clous de girofle

3 gousses de cardamome,
   pilées

1 oignon, haché

115 g de carottes, hachées

2 à 3 gousses d'ail, hachées

1 à 2 piments rouges frais,
   épépinés et hachés

1 morceau de gingembre frais
   de 2,5 cm, râpé

115 g de chou-fleur, séparé
   en fleurettes

175 g de brocoli, séparé
   en fleurettes

115 g de haricots verts,
   hachés

400 g de tomates en boîte

150 ml de bouillon de légumes

sel et poivre

115 g de gombos, émincés

1 cuil. à soupe de coriandre
   fraîche hachée, un peu
   plus en garniture

115 g de riz basmati brun

filaments de safran (facultatif)

zeste râpé d'un citron vert,
   en garniture

méthode

1 Dans une casserole, chauffer l'huile à feu doux, ajouter les épices, l'oignon, les carottes, l'ail, les piments et le gingembre, et cuire 5 minutes en remuant souvent.

2 Ajouter le chou-fleur, le brocoli et les haricots verts, et cuire 5 minutes en remuant souvent. Incorporer les tomates, mouiller avec le bouillon, saler et poivrer. Porter à ébullition, réduire le feu et couvrir. Laisser mijoter 10 minutes.

3 Ajouter les gombos et cuire encore 8 à 10 minutes, jusqu'à ce que les légumes soient tendres. Incorporer la coriandre, égoutter et réserver au chaud.

4 Cuire le riz 25 minutes dans de l'eau bouillante salée, égoutter et réserver au chaud.

5 Dans une terrine profonde, alterner des couches de légumes et de riz en pressant bien, laisser reposer 5 minutes et démouler sur un plat de service chaud. Servir garni de zeste de citron vert et de coriandre.

poivrons rouges farcis au basilic

ingrédients

POUR 4 PERSONNES

140 g de riz long grain

4 gros poivrons

2 cuil. à soupe d'huile d'olive

1 gousse d'ail, hachée

4 échalotes, hachées

1 branche de céleri, hachée

3 cuil. à soupe de noix
   grillées

2 tomates, mondées
   et hachées

1 cuil. à soupe de jus
   de citron

50 g de raisins secs

4 cuil. à soupe de cheddar
   frais râpé

2 cuil. à soupe de basilic frais
   haché

sel et poivre

brins de basilic frais,
   en garniture

quartiers de citron,
   en garniture

méthode

1 Cuire le riz 20 minutes à l'eau bouillante salée, égoutter, rincer à l'eau courante et égoutter de nouveau.

2 À l'aide d'un couteau tranchant, décalotter les poivrons et réserver. Retirer les membranes, épépiner et blanchir avec les chapeaux 2 minutes à l'eau bouillante. Retirer du feu et égoutter. Dans une poêle, chauffer la moitié de l'huile, ajouter l'ail et les échalotes, et cuire 3 minutes sans cesser de remuer. Ajouter le céleri, les noix, les tomates, le jus de citron et les raisins secs, et cuire encore 5 minutes. Retirer du feu, incorporer le fromage et le basilic haché, saler et poivrer.

3 Farcir les poivrons avec la préparation obtenue, les refermer et arroser de l'huile restante. Couvrir de papier d'aluminium et cuire au four préchauffé 45 minutes à 180 °C (th. 6). Retirer du four, garnir de brins de basilic et de quartiers de citron.

légumes
& salades

Les légumes sont essentiels et il existe de multiples manières de les accomoder. Les pommes de terre, simples et réconfortantes, se marient très bien avec le fromage. Au gratin ou servies sur un lit de légumes, elles sortiront du four en grésillant. Farcies, elles constitueront un repas familial sans apprêt, particulièrement bon marché.

Dans ce chapitre, vous trouverez la recette riche et crémeuse des champignons stroganoff, qui tire le meilleur parti d'une sélection de champignons variés. Le clafoutis de tomates cerises, la tarte aux pommes de terre à la fontina et au romarin, accompagnée d'un risotto original à base d'un trio de riz, ne manqueront pas d'impressionner.

Pour persuader tous ceux qui croient ne pas aimer les légumes, accompagnez-les de préparations spéciales. Avec une crème d'ail, les pommes de terre qui paraissent souvent ternes paraissent sous un jour nouveau. Le sauté de brocoli est fabuleux avec une pointe de gingembre et une sauce au piment. De même, les choux de Bruxelles accompagnés de châtaignes frits sont originaux et si délicieux !

Les salades de crudités apportent une manne de vitamines, et les avocats sont très appréciés des végétariens, en raison de leur richesse nutritionnelle. Si vous créez un mélange subtil à base d'avocat assaisonné de citron vert, vous irez tout droit au paradis !

gratin de pommes de terre au fromage

ingrédients

POUR 4 À 6 PERSONNES

900 g de pommes de terre, pelées et coupées en fines rondelles

1 gousse d'ail, coupée en deux

beurre, pour graisser

225 ml de crème fraîche épaisse

noix muscade, fraîchement râpée

sel et poivre

175 g de gruyère, finement râpé

méthode

1 Dans une terrine, mettre les pommes de terre, couvrir d'eau froide et laisser reposer 5 minutes. Bien égoutter.

2 Frotter l'intérieur d'un moule à gratin avec une demi-gousse d'ail en pressant bien et graisser légèrement.

3 Dans une terrine, mettre les pommes de terre, ajouter la crème fraîche et la noix muscade, saler et poivrer. Mélanger le tout avec les mains, transférer dans le plat et napper de la crème éventuellement restée dans la terrine.

4 Parsemer de fromage et de beurre, mettre le plat sur une plaque et cuire au four préchauffé 1 heure à 1 h 10 à 190 °C (th. 6-7), jusqu'à ce que les pommes de terre soient tendres et le gratin doré. Laisser reposer 2 minutes et servir directement dans le plat.

tarte aux pommes de terre, au fontina & au romarin

ingrédients

POUR 4 PERSONNES

1 quantité de pâte feuilletée
farine, pour abaisser la pâte

garniture

3 à 4 pommes de terre

300 g de fontina, coupé
    en cubes

1 oignon rouge, finement
    émincé

3 brins de romarin frais

2 cuil. à soupe d'huile d'olive

sel et poivre

1 jaune d'œuf

méthode

1 Sur un plan fariné, abaisser la pâte en un rond de 25 cm de diamètre et mettre sur une plaque.

2 Couper les pommes de terre en rondelles très fines de sorte qu'elles soient transparentes – utiliser une mandoline si possible. Répartir sur la pâte en spirale de façon à ce qu'elles se chevauchent et recouvrent la pâte en laissant une marge de 2 cm.

3 Répartir le fromage et l'oignon, parsemer de romarin et arroser d'huile. Saler et poivrer, et enduire la marge de jaune d'œuf.

4 Cuire au four préchauffé 25 minutes à 190 °C (th. 6-7), jusqu'à ce que les pommes de terre soit tendres et la pâte croustillante et dorée. Servir chaud.

gratin de légumes

ingrédients

POUR 4 PERSONNES

1 carotte, coupée en dés

175 g de fleurettes
    de chou-fleur

175 g de fleurettes de brocoli

1 bulbe de fenouil, émincé

75 g de haricots verts, coupés
    en deux

30 g de beurre

2½ cuil. à soupe de farine

150 ml de bouillon de légumes

150 ml de vin blanc sec

150 ml de lait

175 g de champignons,
    coupés en quartiers

2 cuil. à soupe de sauge
    fraîche hachée

sel et poivre

garniture

900 g de pommes de terre,
    coupées en dés

30 g de beurre

4 cuil. à soupe de yaourt

75 g de parmesan,
    fraîchement râpé

1 cuil. à café de graines
    de fenouil

méthode

1 Cuire la carotte, le chou-fleur, le brocoli, le fenouil et les haricots verts 10 minutes à l'eau bouillante, jusqu'à ce que les légumes soient tendres. Égoutter les légumes et réserver.

2 Dans une casserole, faire fondre le beurre, ajouter la farine et cuire 1 minute. Retirer du feu, mouiller avec le bouillon, le vin et le lait, et remettre sur le feu. Porter à ébullition sans cesser de remuer, jusqu'à ce que la préparation épaississe. Incorporer les légumes, les champignons et la sauge, saler et poivrer.

3 Pour la garniture, cuire les pommes de terre 10 à 15 minutes à l'eau bouillante, égoutter et réduire en purée. Incorporer le beurre, le yaourt, la moitié du parmesan et les graines de fenouil.

4 Répartir la préparation à base de légumes dans un plat à gratin d'une contenance de 1 litre, garnir de purée de pommes de terre et parsemer du parmesan restant. Cuire au four préchauffé 30 à 35 minutes à 190 °C (th. 6-7), jusqu'à ce que le gratin soit doré.

pommes de terre farcies

ingrédients

POUR 4 PERSONNES

900 g de pommes de terre, grattées

2 cuil. à soupe d'huile

1 cuil. à café de gros sel

115 g de beurre

1 petit oignon, haché

sel et poivre

115 g de cheddar, râpé, ou de stilton, émietté

ciboulette fraîche hachée, en garniture

facultatif

4 cuil. à soupe de maïs en boîte égoutté

4 cuil. à soupe de courgettes, de champignons ou de poivrons cuits

méthode

1 Piquer les pommes de terre à l'aide d'une fourchette et mettre sur une plaque. Badigeonner d'huile et saupoudrer de gros sel. Cuire au four préchauffé 1 heure à 190 °C (th. 6-7), jusqu'à ce que la peau soit croustillante et que la chair soit tendre.

2 Dans une poêle, faire fondre 15 g de beurre à feu moyen à doux, ajouter l'oignon et cuire 8 à 10 minutes en remuant de temps en temps, jusqu'à ce qu'il soit doré. Réserver.

3 Couper les pommes de terre en deux dans la hauteur, évider la chair sans percer la peau et transférer la chair dans une terrine. Réserver le peau et la chair. Augmenter la température du four à 200 °C (th. 6-7).

4 Réduire la chair de pommes de terre en purée grossière, ajouter l'oignon et le beurre restant, saler et poivrer. Incorporer éventuellement les ingrédients facultatifs, répartir le tout dans la peau des pommes de terre et garnir de fromage.

5 Cuire les pommes de terre farcies au four 10 minutes, jusqu'à ce que le fromage ait fondu et soit doré. Garnir et servir parsemé de ciboulette.

ratatouille rustique

ingrédients

POUR 4 PERSONNES

300 g de pommes de terre
  avec la peau, grattées

200 g d'aubergines, coupées
  en dés de 1 cm

125 g d'oignons rouges,
  coupés en rondelles
  de 5 mm d'épaisseur

200 g de poivrons, épépinés
  et coupés en lanières
  de 1 cm d'épaisseur

175 g de courgettes, coupées
  en deux dans la longueur
  puis en morceaux de 1 cm

125 g de tomates cerises

90 g de fromage frais allégé

1 cuil. à café de miel liquide

1 pincée de paprika

1 cuil. à café de persil frais
  haché, en garniture

marinade

1 cuil. à café d'huile

1 cuil. à soupe de jus de citron

4 cuil. à soupe de vin blanc

1 cuil. à café de sucre

2 cuil. à soupe de basilic frais
  haché

1 cuil. à café de romarin frais
  haché

1 cuil. à soupe de thym citron
  frais haché

1/4 de cuil. à café de paprika

méthode

1 Cuire les pommes de terre au four préchauffé 30 minutes à 200 °C (th. 6-7), retirer du four et couper en quartiers – la chair ne doit pas être totalement cuite.

2 Pour la marinade, mettre tous les ingrédients dans un bol, battre à l'aide d'un batteur électrique ou dans un robot de cuisine jusqu'à obtention d'une consistance homogène.

3 Dans une grande terrine, mettre les pommes de terre, les aubergines, les oignons, les poivrons et les courgettes, arroser de marinade et bien mélanger le tout.

4 Répartir les légumes sur une plaque et cuire au four préchauffé 25 à 30 minutes, jusqu'à ce qu'ils soient dorés et tendres. Ajouter les tomates 5 minutes avant la fin de la cuisson de façon à les réchauffer.

5 Mélanger le fromage frais, le miel et le paprika.

6 Servir les légumes accompagnés du mélange à base de fromage frais et garnis de persil.

gratin de courgettes au fromage

ingrédients

POUR 4 À 6 PERSONNES

55 g de beurre, un peu plus
pour graisser

6 courgettes, coupées
en rondelles

sel et poivre

2 cuil. à soupe d'estragon
frais haché ou de mélange
d'estragon, de menthe
et de persil plat

200 g de gruyère
ou de parmesan, râpé

125 ml de lait

125 ml de crème fraîche
épaisse

2 œufs

noix muscade fraîchement
râpée

méthode

1 Dans une poêle, faire fondre le beurre à feu moyen à vif, ajouter les courgettes et faire revenir 4 à 6 minutes en remuant de temps en temps, jusqu'à ce qu'elles soient légèrement dorées. Retirer de la poêle, égoutter sur du papier absorbant, saler et poivrer.

2 Répartir la moitié des courgettes dans un plat de service allant au four, parsemer de la moitié des herbes et de 55 g de fromage, et répéter l'opération une fois.

3 Mélanger le lait, la crème fraîche et les œufs, ajouter la noix muscade, saler et poivrer. Napper les courgettes et parsemer du fromage restant.

4 Cuire le gratin au four préchauffé 35 à 40 minutes à 180 °C (th. 6), jusqu'à ce qu'il ait pris au centre et soit légèrement doré. Sortir du four, laisser reposer 5 minutes et servir directement dans le plat.

clafoutis de tomates cerises

ingrédients

POUR 4 À 6 PERSONNES

400 g de tomates cerises

3 cuil. à soupe de persil plat
    frais haché, de ciboulette
    hachée ou de basilic frais
    finement ciselé

100 g de gruyère, râpé

55 g de farine

4 gros œufs, légèrement
    battus

3 cuil. à soupe de crème
    aigre

225 ml de lait

sel et poivre

beurre, pour graisser

méthode

1 Graisser un plat à gratin, repartir les tomates cerises et parsemer de fines herbes et de la moitié du fromage.

2 Dans une terrine, mettre la farine et ajouter progressivement les œufs sans cesser de battre jusqu'à obtention d'une consistance homogène. Incorporer la crème aigre, verser le lait très progressivement sans cesser de battre, jusqu'à obtention d'une pâte fluide et homogène. Saler et poivrer.

3 Répartir la préparation obtenue sur les tomates cerises et parsemer du fromage restant. Cuire au four préchauffé 40 à 45 minutes à 190 °C (th. 6-7), jusqu'à ce que le clafoutis ait pris et soit bien gonflé, en couvrant éventuellement de papier d'aluminium si la surface brunit trop vite. Laisser reposer quelques minutes et servir chaud ou laisser refroidir à température ambiante.

tarte aux oignons caramélisés

ingrédients

POUR 4 À 6 PERSONNES

100 g de beurre

600 g d'oignons, finement
    émincés

2 œufs

100 ml de crème fraîche
    épaisse

sel et poivre

100 g de gruyère, râpé

1 fond de tarte prêt à l'emploi
    de 20 cm de diamètre

100 g de parmesan
    grossièrement râpé

méthode

1 Dans une poêle, faire fondre le beurre à feu
moyen, ajouter les oignons et cuire 30 minutes
en remuant souvent, jusqu'à ce qu'ils soient
bien dorés et caramélisés. Retirer de la poêle
et réserver.

2 Dans une terrine, battre les œufs, incorporer
la crème fraîche, saler et poivrer. Incorporer le
gruyère, bien mélanger et ajouter les oignons.

3 Répartir la préparation obtenue dans le fond
de tarte, saupoudrer de parmesan et placer
sur une plaque. Cuire au four préchauffé
15 à 20 minutes à 190 °C (th. 6-7), jusqu'à
ce que la garniture ait pris et soit légèrement
dorée.

4 Retirer du four et laisser reposer au moins
10 minutes. La tarte peut être servie chaude
ou à température ambiante.

fritatta au brocoli
& au sésame

ingrédients

POUR 2 PERSONNES

175 g de brocoli, séparé
    en fleurettes

85 g d'asperges, émincées
    en biais

1 cuil. à soupe d'huile d'olive
    vierge extra

1 oignon, coupé en petits
    quartiers

2 à 4 gousses d'ail, finement
    hachées

1 gros poivron orange,
    épépiné et haché

4 œufs

3 cuil. à soupe d'eau froide

sel et poivre

25 g de graines de sésame

15 g de parmesan,
    fraîchement râpé

3 oignons verts, finement
    émincés

méthode

1 Cuire le brocoli 4 minutes à l'eau bouillante
et ajouter les asperges après 2 minutes de
cuisson. Égoutter, rafraîchir à l'eau courante
et égoutter de nouveau. Réserver.

2 Dans une poêle, chauffer l'huile à feu doux,
ajouter l'oignon, l'ail et le poivron, et cuire
8 minutes en remuant souvent, jusqu'à
ce que tous les légumes soient tendres.

3 Dans un bol, battre les œufs avec l'eau, saler
et poivrer. Verser dans la poêle, ajouter le
brocoli et les asperges, et mélanger délicatement.
Cuire 3 à 4 minutes à feu moyen en ramenant
les légumes vers le centre de sorte que l'œuf
qui n'a pas pris coule vers les bords.
Préchauffer le gril.

4 Parsemer la fritatta de graines de sésame
et de fromage, et passer au gril 3 à 5 minutes,
jusqu'à ce qu'elle soit dorée et ferme. Parsemer
d'oignons verts et servir chaud ou froid.

œufs au plat aux épinards & au parmesan

ingrédients

POUR 2 PERSONNES

30 g de beurre, un peu plus
    pour graisser

125 g de pousses d'épinard

$^{1}/_{2}$ cuil. à café de noix muscade
    fraîchement râpée

4 petits œufs

50 ml de crème fraîche
    liquide

2 cuil. à soupe de parmesan
    fraîchement râpé

sel et poivre

méthode

1 Graisser légèrement 2 plats à gratin individuels avec un peu de beurre.

2 Dans une poêle, faire fondre le beurre à feu doux, ajouter les épinards et cuire 1 minute en remuant à l'aide d'une cuillère en bois, jusqu'à ce qu'ils soient flétris. Ajouter la noix muscade et répartir dans les plats.

3 Casser délicatement 2 œufs dans chaque plat, napper de crème fraîche et saupoudrer de parmesan. Saler et poivrer. Cuire au four préchauffé 10 minutes à 160 °C (th. 5-6), jusqu'à ce que les blancs d'œufs aient pris mais que les jaunes soient toujours coulants. Servir immédiatement.

champignons stroganoff

ingrédients

POUR 4 PERSONNES

550 g de mélange
de champignons

1 oignon rouge, coupé en dés

2 gousses d'ail, hachées

425 ml de bouillon
de légumes

1 cuil. à soupe de concentré
de tomate

2 cuil. à soupe de jus de citron

1 cuil. à soupe de maïzena

2 cuil. à soupe d'eau froide

115 g de yaourt nature allégé

3 cuil. à soupe de persil frais
haché

poivre

riz et mesclun,
en accompagnement

méthode

1 Dans une casserole, mettre les champignons, l'oignon, l'ail, le bouillon, le concentré de tomate et le jus de citron, et porter à ébullition. Réduire le feu, couvrir et laisser mijoter 15 minutes, jusqu'à ce que l'oignon soit tendre.

2 Délayer la maïzena dans l'eau et incorporer dans la casserole. Porter de nouveau à ébullition sans cesser de remuer et cuire jusqu'à ce que la sauce ait épaissi. Réduire le feu et laisser mijoter 2 à 3 minutes en remuant de temps en temps.

3 Juste avant de servir, retirer la casserole du feu et incorporer le yaourt en veillant à ce que la préparation ne soit pas bouillante – le yaourt prendrait un aspect caillé. Incorporer 2 cuillerées à soupe de persil et poivrer. Transférer dans un plat de service chaud, garnir du persil restant et servir immédiatement, accompagné de riz et de mesclun.

curry de légumes à la noix de coco

ingrédients

POUR 4 PERSONNES

1 oignon, grossièrement haché

3 gousses d'ail, émincées

1 morceau de gingembre frais de 2,5 cm, émincé

2 piments verts frais, épépinés et émincés

1 cuil. à soupe d'huile

1 cuil. à café de curcuma en poudre

1 cuil. à café de coriandre en poudre

1 cuil. à café de cumin en poudre

1 kg d'un mélange de légumes, chou-fleur, courgettes, pommes de terre, carottes et haricots verts, par exemple, coupés en gros morceaux

200 g de lait de coco

sel et poivre

2 cuil. à soupe de coriandre fraîche hachée, en garniture

riz cuit, en accompagnement

méthode

1 Dans un robot de cuisine, mettre l'oignon, l'ail, le gingembre et les piments, et mixer jusqu'à obtention d'une consistance presque homogène.

2 Dans une sauteuse, chauffer l'huile à feu moyen, ajouter le mélange précédent et cuire 5 minutes sans cesser de remuer.

3 Ajouter le curcuma, la coriandre et le cumin, et cuire 3 à 4 minutes en remuant souvent. Ajouter les légumes et bien mélanger de sorte qu'ils soient enrobés d'épices.

4 Mouiller avec le lait de coco, couvrir et cuire 30 à 40 minutes, jusqu'à ce que les légumes soient tendres.

5 Saler, poivrer et garnir de coriandre hachée. Servir accompagné de riz.

curry de légumes jaunes thaï & riz basmati

ingrédients

POUR 4 PERSONNES

50 g de poivron jaune

50 g de céleri

50 g de mini-épis de maïs

85 g de poireau

100 g de patate douce

100 g de pak-choï

50 g de courgette

50 g de mange-tout

300 ml de jus d'ananas

200 ml d'eau

3 cuil. à soupe de jus
    de citron vert

2 cuil. à soupe de maïzena

4 cuil. à soupe de yaourt allégé

4 cuil. à soupe de coriandre
    fraîche hachée

150 g de riz basmati complet
    cuit

mélange d'épices

1 cuil. à café d'ail haché

$1/4$ de cuil. à café de curcuma

1 cuil. à café de coriandre
    en poudre

1 cuil. à café de citronnelle
    hachée

3 feuilles de lime kaffir

1 cuil. à café de piment vert
    finement haché

méthode

1 Pour le mélange d'épices, piler les épices dans un mortier jusqu'à obtention d'une pâte.

2 Couper le poivron en carrés de 1 cm, couper le céleri, les mini-épis de maïs et le poireau en tronçons de 5 mm et couper la patate douce en dés de 1 cm. Ciseler le pak-choï, couper la courgette en dés de 5 mm et couper les pois mange-tout en fines lanières.

3 Dans une casserole, mettre le poivron, le céleri, les mini-épis de maïs, le poireau, la patate douce et le jus d'ananas, ajouter la pâte d'épices et porter à ébullition. Réduire le feu, écumer la surface et couvrir. Laisser mijoter 15 minutes.

4 Ajouter le pak-choï, la courgette et les pois mange-tout, et cuire encore 2 minutes. Ajouter le jus de citron vert et la maïzena délayée dans l'eau froide. Cuire sans cesser de remuer jusqu'à obtention de la consistance souhaitée.

5 Retirer du feu, laisser refroidir 2 à 3 minutes et incorporer le yaourt en veillant à ce que la préparation ne soit pas bouillante – le yaourt prendrait un aspect caillé. Ajouter la coriandre et servir le curry accompagné de riz.

purée de pommes de terre à l'ail grillé

ingrédients

POUR 4 PERSONNES

2 têtes d'ail

1 cuil. à soupe d'huile d'olive

900 g de pommes de terre,
    pelées

125 ml de lait

55 g de beurre

sel et poivre

méthode

1 Séparer les gousses d'ail, mettre sur du papier d'aluminium et arroser d'huile. Bien envelopper et cuire au four préchauffé 1 heure à 180 °C, jusqu'à ce que l'ail soit très tendre. Laisser tiédir.

2 Couper les pommes de terre en dés et cuire 15 minutes à l'eau bouillante salée.

3 Presser les gousses d'ail hors de leur peau, presser au travers d'une passoire et transférer dans une casserole. Ajouter le lait et le beurre, saler et poivrer. Chauffer à feu doux jusqu'à ce que le beurre ait fondu.

4 Égoutter les pommes de terre, réduire en purée lisse et ajouter dans la casserole. Chauffer à feu doux sans cesser de remuer, jusqu'à ce que les ingrédients soient bien mélangés. Servir chaud.

quartiers de potiron grillés

ingrédients

POUR 4 PERSONNES

200 g de potiron, pelé,
    épépiné et coupé
    en 4 quartiers

1 cuil. à café d'huile

100 g d'oignons, finement
    hachés

1 cuil. à café d'ail haché

70 g d'un mélange de 3 riz
    pour risotto

300 ml de bouillon de légumes

225 g de pointes d'asperges

2 cuil. à soupe de marjolaine
    fraîche hachée, un peu
    plus pour garnir

3 cuil. à soupe de fromage
    frais allégé

2 cuil. à soupe de persil frais
    finement haché

sel et poivre

méthode

1 Répartir les quartiers de potiron sur une plaque antiadhésive et cuire au four préchauffé 20 minutes à 200 °C (th. 6-7), jusqu'à ce qu'ils soient tendres et dorés.

2 Dans une casserole, chauffer l'huile à feu moyen, ajouter les oignons et l'ail, et cuire sans cesser de remuer jusqu'à ce que les oignons soient tendres, sans laisser dorer. Ajouter le riz, mouiller avec la moitié du bouillon et laisser mijoter en remuant de temps en temps, jusqu'à ce que le bouillon ait réduit. Mouiller avec le bouillon restant et cuire en remuant de temps en temps jusqu'à ce que les grains de riz soient tendres.

3 Couper 175 g d'asperges en tronçons de 10 cm et blanchir 2 minutes à l'eau bouillante. Égoutter et réserver au chaud. Couper les asperges restantes en rondelles de 5 mm et ajouter au risotto les 3 dernières minutes de cuisson.

4 Retirer le risotto du feu, ajouter la marjolaine, le fromage frais et le persil, saler et poivrer. Ne pas laisser bouillir.

5 Répartir les quartiers de potiron dans des assiettes chaudes, garnir de risotto et ajouter les tronçons d'asperges réservés. Parsemer de marjolaine et servir.

sauté de brocoli

ingrédients

POUR 4 PERSONNES

2 cuil. à soupe d'huile

2 brocolis, séparés en fleurettes

2 cuil. à soupe de sauce
de soja

1 cuil. à café de maïzena

1 cuil. à soupe de sucre

1 cuil. à café de gingembre
frais râpé

1 gousse d'ail, hachée

1 pincée de flocons
de piment

1 cuil. à café de graines
de sésame grillées,
en garniture

méthode

1 Dans un wok, chauffer l'huile à feu vif jusqu'à ce qu'elle soit presque fumante, ajouter le brocoli et faire revenir 4 à 5 minutes. Réduire le feu.

2 Mélanger la sauce de soja, la maïzena, l'ail, le sucre, le gingembre et les flocons de piment, ajouter dans le wok et cuire 2 à 3 minutes sans cesser de remuer, jusqu'à ce que la sauce épaississe légèrement.

3 Transférer dans un plat de service chaud, garnir de graines de sésame et servir immédiatement.

oignons grillés

ingrédients

POUR 4 PERSONNES

8 gros oignons, pelés

3 cuil. à soupe d'huile d'olive

55 g de beurre

2 cuil. à café de thym frais
    haché

sel et poivre

200 g de cheddar, râpé

méthode

1 Inciser les oignons en croix du sommet vers la base sans désolidariser les quartiers ainsi obtenus. Mettre dans un plat allant au four et arroser d'huile d'olive.

2 Répartir le beurre dans les oignons, parsemer de thym, saler et poivrer. Couvrir de papier d'aluminium et cuire au four préchauffé 40 à 45 minutes à 180 °C (th. 6).

3 Sortir du four, retirer le papier d'aluminium et arroser les oignons de jus de cuisson. Cuire au four encore 15 minutes sans couvrir, jusqu'à ce que les oignons soient dorés.

4 Sortir du four, parsemer de fromage et cuire au four encore quelques minutes, jusqu'à ce que le fromage ait fondu. Servir immédiatement.

choux de Bruxelles aux châtaignes

ingrédients

POUR 4 PERSONNES

450 g de choux de Bruxelles

115 g de beurre

55 g de sucre roux

115 g de châtaignes cuites
    et pelées

méthode

1 Parer les choux de Bruxelles et retirer les feuilles qui ne sont pas bien attachées. Porter à ébullition une casserole d'eau salée, ajouter les choux et cuire 5 à 10 minutes, jusqu'à ce qu'ils soient tendres, sans être mous. Égoutter, rafraîchir à l'eau courante et égoutter de nouveau. Réserver.

2 Dans une poêle, faire fondre le beurre à feu moyen, ajouter le sucre et chauffer sans cesser de remuer jusqu'à ce que le sucre soit dissous. Ajouter les châtaignes et cuire en remuant de temps en temps, jusqu'à ce qu'elles soient bien enrobées de beurre et commencent à dorer.

3 Ajouter les choux de Bruxelles, bien mélanger et réduire le feu. Cuire 3 à 4 minutes à feu doux en remuant de temps en temps, jusqu'à ce qu'ils soient bien chauds.

4 Retirer du feu, transférer dans un plat de service chaud et servir immédiatement.

taboulé

ingrédients

POUR 4 PERSONNES

175 g de boulghour

3 cuil. à soupe d'huile d'olive
vierge extra

4 cuil. à soupe de jus
de citron

sel et poivre

4 oignons verts

1 poivron vert, épépiné
et coupé en lanières

4 tomates, concassées

2 cuil. à soupe de persil frais
haché

2 cuil. à soupe de menthe
fraîche hachée

8 olives noires, dénoyautées

menthe fraîche hachée
supplémentaire,
pour garnir

méthode

1 Dans une terrine, mettre le boulghour, couvrir d'eau froide et laisser reposer 30 minutes, jusqu'à ce que les grains aient doublé de volume. Égoutter en pressant bien de façon à exprimer l'excédent d'eau. Répartir les grains sur du papier absorbant et sécher.

2 Transférer le boulghour dans un saladier. Mélanger l'huile d'olive et le jus de citron, saler et poivrer. Arroser le boulghour du mélange obtenu et laisser mariner 1 heure.

3 À l'aide d'un couteau tranchant, hacher finement les oignons verts. Ajouter les oignons verts, le poivron, les tomates, le persil et la menthe dans le saladier, et bien mélanger le tout. Parsemer d'olives, garnir de menthe hachée et servir immédiatement.

salade à la papaye, au poivron & à l'avocat

ingrédients

POUR 4 À 6 PERSONNES

200 g de mesclun

2 à 3 oignons verts, hachés

3 à 4 cuil. à soupe de coriandre
fraîche hachée

1 petite papaye

2 poivrons rouges

1 avocat

1 cuil. à soupe de jus
de citron vert

3 à 4 cuil. à soupe de graines
de courge, grillées
(facultatif)

sauce

jus d'un citron vert

1 pincée de paprika

1 pincée de cumin en poudre

1 pincée de sucre

1 gousse d'ail, finement
hachée

4 cuil. à soupe d'huile d'olive
vierge extra

sel

1 trait de vinaigre de vin
blanc (facultatif)

méthode

1 Dans une terrine, mettre le mesclun, les
oignons verts et la coriandre, bien mélanger
et transférer dans un saladier.

2 Couper la papaye en deux, épépiner à l'aide
d'une petite cuillère et couper en quartiers.
Retirer la peau et couper la chair en lamelles.
Répartir sur la salade. Couper les poivrons
en deux, épépiner et couper en lanières.
Ajouter dans le saladier.

3 Couper l'avocat en deux autour du noyau,
retirer le noyau en faisant pivot à l'aide d'un
couteau pointu et peler. Couper la chair en dés,
ajouter le jus de citron vert de sorte que l'avocat
ne s'oxyde pas et ajouter dans le saladier.

4 Pour la sauce, mettre le jus de citron vert,
le paprika, le cumin, le sucre, l'ail et l'huile,
bien battre le tout et saler.

5 Napper la salade de sauce, mélanger et ajouter
éventuellement 1 trait de vinaigre de vin blanc
et parsemer de graines de courge.

salade d'avocat & sa sauce au citron vert

ingrédients

POUR 4 PERSONNES

60 g de mesclun

60 g de roquette

4 oignons verts, coupés
en dés

5 tomates, coupées
en rondelles

25 g de noix, grillées
et hachées

2 avocats

1 cuil. à soupe de jus
de citron

sauce au citron vert

1 cuil. à soupe de jus
de citron vert

1 cuil. à café de moutarde
de Dijon

1 cuil. à soupe de crème
aigre

1 cuil. à soupe de persil
ou de coriandre frais
hachés

3 cuil. à soupe d'huile d'olive
vierge extra

1 pincée de sucre

sel et poivre

méthode

1 Laver et rincer le mesclun et la roquette.
Ciseler les feuilles et répartir dans un saladier.
Ajouter les oignons verts, les tomates et les
noix dans le saladier.

2 Dénoyauter, peler et émincer les avocats.
Arroser de jus de citron de sorte qu'ils ne
s'oxydent pas, ajouter dans le saladier
et mélanger délicatement.

3 Pour la sauce, mettre tous les ingrédients
dans un bol, bien battre et arroser la salade.
Servir immédiatement.

salade de poivrons grillés

ingrédients

POUR 8 PERSONNES

3 poivrons rouges

3 poivrons jaunes

5 cuil. à soupe d'huile d'olive
vierge extra espagnole

2 cuil. à soupe de vinaigre
de xérès ou de jus
de citron

2 gousses d'ail, hachées

1 pincée de sucre

sel et poivre

1 cuil. à soupe de câpres

8 petites olives noires
espagnoles

2 cuil. à soupe de marjolaine
fraîche hachée, plus
quelques brins pour garnir

méthode

1 Mettre les poivrons sur une grille et passer au gril 10 minutes à chaleur maximale en les retournant souvent, jusqu'à ce que la peau noircisse et se plisse.

2 Transférer les poivrons dans un sac en plastique ou mettre dans une terrine et couvrir d'un torchon humide. Laisser reposer 15 minutes, jusqu'à ce qu'ils soient assez tièdes pour être manipulés.

3 À l'aide d'un couteau tranchant, inciser la base des poivrons et réserver le jus qui s'en écoule. Retirer délicatement la peau noircie avec les doigts. Couper les poivrons en deux, retirer le pédoncule et les membranes, et épépiner. Couper en lanières et répartir sur un plat de service.

4 Mélanger le jus des poivrons réservés, l'huile d'olive, le vinaigre de xérès, l'ail et le sucre, saler et poivrer. Battre le tout et arroser les poivrons.

5 Parsemer la salade de câpres, d'olives et de marjolaine hachée, garnir de brins de marjolaine et servir à température ambiante.

salade de haricots verts à la féta

ingrédients

POUR 4 PERSONNES

350 g de haricots verts

1 oignon rouge, haché

3 à 4 cuil. à soupe de
coriandre fraîche hachée

2 radis, coupés en fines
rondelles

75 g de féta (poids égoutté),
émiettée

1 cuil. à café d'origan frais
haché, un peu plus
pour garnir (facultatif),
ou 1/2 cuil. à café d'origan
haché

poivre

2 cuil. à soupe de vinaigre
de vin rouge

80 ml d'huile d'olive vierge
extra

3 tomates cerises, coupées
en quartiers

tranches de pain frais,
en accompagnement

méthode

1 Mettre les haricots dans un panier à étuver et cuire 5 minutes à la vapeur, jusqu'à ce qu'ils soient tendres.

2 Transférer les haricots dans une terrine, ajouter l'oignon, la coriandre, les radis et la féta.

3 Parsemer d'origan et poivrer. Dans un bol, mettre le vinaigre et l'huile, battre et ajouter aux haricots verts. Bien mélanger.

4 Transférer dans des assiettes, garnir de tomates cerises et servir accompagné de pain frais.

salade à la grecque

ingrédients

POUR 4 PERSONNES

4 tomates, coupées
en quartiers

1 oignon, émincé

1/2 concombre, émincé

225 g d'olives kalamata,
dénoyautées

225 g de féta, coupée en dés

2 cuil. à soupe de feuilles
de coriandre fraîche

brins de persil plat,
en garniture

pain pita, en accompagnement

sauce

5 cuil. à soupe d'huile d'olive
vierge extra

2 cuil. à soupe de vinaigre
de vin blanc

1 cuil. à soupe de jus
de citron

1/2 cuil. à café de sucre

1 cuil. à soupe de coriandre
fraîche hachée

sel et poivre

méthode

1 Pour la sauce, mettre l'huile, le vinaigre,
le jus de citron, le sucre et la coriandre dans
une terrine. Saler, poivrer et bien battre le tout.

2 Ajouter les tomates, l'oignon, le concombre,
les olives, la féta et la coriandre. Mélanger
le tout, répartir dans des assiettes et garnir
de persil frais. Servir accompagné de pain pita.

desserts

Les végétariens s'intéressent en général de près aux vertus nutrition-
nelles de leur alimentation. Souvent, ils ont à cœur de soigner leur
santé et ont choisi ce mode alimentaire dans cette perspective. Cela
ne signifie pas, cependant, qu'ils boudent systématiquement les
desserts !

Ce chapitre présente une série de recettes de desserts, dont certaines très saines et
d'autres plus indulgentes, à une époque particulièrement intransigeante sur bien des
points. Si vous suivez un régime basses calories, optez pour les granités de fruits, le sorbet
aux abricots et au fruit de la passion, ou le yaourt glacé aux myrtilles, qui convient bien
aux personnes diabétiques. Les abricots rôtis au miel et le fromage frais de chèvre et aux
figues sont aussi des spécialités tout à fait adaptées.

Et si vous voulez lâcher la bride, craquez pour la crème glacée à la framboise ou au citron,
pour la crème brûlée à la mangue ou pour le pudding estival.

Pour le cas où vous voudriez vraiment larguer les amarres, trois choix
s'offrent à vous : les petits banoffees, la tarte du Mississipi et la tarte
au chocolat et au fudge. La crème caramel à l'espagnole sera de
circonstance, et si vous souhaitez briser tous les tabous, laissez-vous
tenter par une tarte aux pommes traditionnelle et de la crème glacée
à la vanille. Deux desserts pour le prix d'un !

crème glacée à la framboise

ingrédients

POUR 6 PERSONNES

85 g de framboises
  fraîches ou surgelées
  et décongelées, un peu
  plus pour garnir
2 cuil. à soupe d'eau
2 œufs
1 cuil. à soupe de sucre
300 ml de lait, chaud
1 cuil. à café d'extrait
  de vanille
300 ml de crème fraîche
  épaisse

méthode

1 Régler la température du congélateur au minimum. Dans une casserole, mettre l'eau et les framboises, porter à ébullition et réduire le feu. Laisser mijoter 5 minutes à feu doux, retirer du feu et laisser refroidir 30 minutes. Transférer dans un robot de cuisine, réduire en purée et passer au travers d'un chinois en nylon de façon à éliminer tous les grains. Réserver.

2 Incorporer le sucre au lait, battre les œufs dans une jatte et verser le lait sucré en filet sans cesser de battre. Filtrer, transférer dans une casserole et cuire 8 à 10 minutes, jusqu'à obtention d'une crème épaisse qui nappe la cuillère. Ajouter l'extrait de vanille, retirer du feu et laisser refroidir.

3 Fouetter légèrement la crème fraîche, ajouter délicatement à la préparation précédente et transférer le tout dans une jatte adaptée à la congélation. Congeler 1 h 30, jusqu'à ce que les bords commencent à prendre. Retirer du congélateur et remuer de façon à briser les cristaux de glace.

4 Remettre au congélateur, laisser prendre encore 1 heure et retirer de nouveau du congélateur. Incorporer délicatement la purée de framboises, mettre au congélateur 1 heure et servir garni de framboises entières.

crème glacée à la vanille

ingrédients

POUR 4 À 6 PERSONNES

300 ml de crème fraîche
liquide et 300 ml de
crème fraîche épaisse
ou 625 ml de crème
fouettée

1 gousse de vanille

4 gros jaunes d'œufs

100 g de sucre en poudre

méthode

1 Dans une casserole, verser les crèmes fraîches ou la crème fouettée. Ouvrir la gousse de vanille, gratter la pulpe et incorporer le tout dans la casserole. Porter au point d'ébullition sans laisser bouillir, retirer du feu et laisser infuser 30 minutes.

2 Dans une jatte, mettre les jaunes d'œufs et le sucre, battre jusqu'à ce que le mélange blanchisse et fasse un ruban. Retirer la gousse de vanille de la casserole et ajouter la crème vanillée progressivement dans la jatte à l'aide d'une cuillère en boissans cesser de remuer. Filtrer le tout, transférer dans une casserole propre et cuire 10 à 15 minutes à feu doux sans cesser de remuer, jusqu'à ce que la préparation épaisse et nappe la cuillère. Veiller à ne pas laisser bouillir. Retirer du feu et laisser reposer 1 heure en remuant de temps en temps de façon à éviter la formation d'une peau.

3 Transférer la préparation dans une sorbetière et procéder selon les instructions du fabricant. Servir immédiatement ou transférer dans une jatte adaptée à la congélation, couvrir et conserver au congélateur.

crème glacée au citron

ingrédients

POUR 4 À 6 PERSONNES

2 ou 3 citrons

625 ml de yaourt à la grecque

150 ml de crème fraîche
épaisse

100 g de sucre en poudre

zeste d'orange coupé en fines
lanières, en garniture

méthode

1 Presser le jus des citrons de façon à obtenir 6 cuillerées à soupe, verser dans une jatte et ajouter le yaourt, la crème fraîche et le sucre. Bien mélanger le tout.

2 Transférer le tout dans une sorbetière et procéder selon les instructions du fabricant. À défaut de sorbetière, transférer la préparation dans une jatte adaptée à la congélation et congeler 1 à 2 heures sans couvrir, jusqu'à ce que les bords commencent à prendre. Transférer dans une autre jatte et battre à l'aide d'une fourchette ou mixer dans un robot de cuisine. Remettre au congélateur 2 à 3 heures, jusqu'à obtention d'une crème glacée homogène. Couvrir, réserver au congélateur et servir garni de lanières de zeste d'orange.

granités de fruits

ingrédients

POUR 4 PERSONNES

1 ananas

1 gros morceau de pastèque,
    épépiné et coupé en dés

225 g de fraises ou autres
    fruits rouges, équeutés
    et éventuellement coupés
    en lamelles

1 mangue, nectarine
    ou pêche, pelées et
    coupées en lamelles

1 banane, pelée et coupée
    en rondelles

jus d'orange

sucre en poudre

méthode

1 Chemiser 2 plaques de papier sulfurisé, répartir les fruits, sauf l'ananas, dessus et mettre au congélateur 2 heures, jusqu'à ce qu'ils soient fermes et bien glacés.

2 Mettre l'ananas dans un robot de cuisine et mixer jusqu'à ce qu'il soit grossièrement haché.

3 Ajouter un peu de jus d'orange et de sucre selon son goût, et mixer jusqu'à obtention d'une consistance granuleuse. Répéter l'opération avec les fruits restants et répartir dans des coupes glacées. Servir immédiatement.

yaourt glacé aux myrtilles

ingrédients

POUR 4 PERSONNES

175 g de myrtilles fraîches

zeste finement râpé et jus
    d'une orange

3 cuil. à soupe de sirop
    d'érable

500 g de yaourt nature allégé

méthode

1 Dans un robot de cuisine, mettre les myrtilles et le jus d'orange et réduire en purée. Filtrer et transférer dans une jatte.

2 Mélanger le sirop d'érable et le yaourt, et incorporer aux myrtilles.

3 Transférer dans une sorbetière et procéder selon les instructions du fabricant et congeler encore 5 à 6 heures. À défaut de sorbetière, transférer la préparation dans une jatte adaptée à la congélation, congeler 2 heures et retirer du congélateur. Transférer dans une autre jatte, battre jusqu'à obtention d'une consistance homogène et remettre au congélateur. Laisser prendre totalement et servir, garni de zeste d'orange.

sorbet aux abricots
& au fruit de la passion

ingrédients

POUR 6 PERSONNES

sorbet

100 g d'abricots secs

250 ml d'eau

2 cuil. à soupe de jus
de citron

2 cuil. à soupe de jus
d'orange

7 cuil. à soupe de pulpe
de fruit de la passion,
filtrée

biscuits au sésame

1 cuil. à soupe de graines
de sésame

1 cuil. à soupe de sirop
de glucose

3 cuil. à soupe de sucre
en poudre

2 cuil. à soupe de farine

méthode

1 Pour le sorbet, mettre les abricots et l'eau dans une casserole et porter à ébullition. Réduire le feu, laisser mijoter 10 à 15 minutes, jusqu'à ce qu'ils soient tendres, et retirer du feu. Transférer dans un robot de cuisine, ajouter l'eau et réduire en purée. Ajouter les jus de fruits et 3 cuillerées à soupe de pulpe de fruit de la passion, et mixer.

2 Ajouter 2 cuillerées à soupe de pulpe de fruit de la passion, transférer dans une jatte adaptée à la congélation et mettre au congélateur 20 minutes. Battre le sorbet de façon à briser les cristaux et remettre au congélateur 2 heures, jusqu'à ce que le sorbet ait pris, en battant toutes les 20 minutes de façon à obtenir une texture fluide.

3 Pour les biscuits, mettre les graines dans une poêle, et faire griller à feu vif jusqu'à ce qu'elles soient dorées. Retirer du feu, ajouter le sirop de glucose, le sucre et la farine, et mélanger à l'aide d'une cuillère métallique de façon à obtenir une pâte collante. Retirer de la poêle et laisser tiédir. Les mains mouillées, façonner un boudin, couper en seize et rouler en boule. Aplatir et déposer sur du papier sulfurisé.

4 Cuire au four préchauffé 6 minutes à 180 °C (th. 6) et laisser refroidir sur une grille. Servir le sorbet nappé de pulpe de fruit de la passion et accompagné de biscuits au sésame.

crème caramel à l'espagnole

ingrédients

POUR 6 PERSONNES

50 ml de lait entier

$^1/_2$ orange avec 2 morceaux
de zeste retirés

1 gousse de vanille, ouverte,
ou $^1/_2$ cuil. à café d'extrait
de vanille

175 g de sucre en poudre

beurre, pour graisser

3 gros œufs entiers,
plus 2 jaunes

méthode

1 Dans une casserole, mettre le lait, le zeste d'orange et la gousse de vanille, porter à ébullition et retirer du feu. Incorporer 85 g de sucre et laisser reposer 30 minutes.

2 Dans une autre casserole, mettre le sucre restant et 4 cuillerées à soupe d'eau, chauffer à feu moyen à vif jusqu'à ce que le sucre soit dissous et porter à ébullition sans remuer jusqu'à obtention d'un caramel doré. Retirer immédiatement du feu et ajouter quelques gouttes de jus d'orange de façon à stopper la cuisson. Répartir dans un moule à soufflé légèrement graissé d'une contenance de 1,25 l.

3 Remettre la casserole contenant le lait sur le feu et porter à ébullition. Dans une jatte, battre les œufs eniers et les jaunes, incorporer progressivement la préparation à base de lait sans cesser de battre et filtrer dans le moule.

4 Mettre le moule dans un plat à gratin et verser de l'eau dans le plat de sorte que le moule soit immergé à demi. Cuire au four préchauffé de 1 h 15 à 1 h 30, jusqu'à ce que la crème ait pris. Retirer le moule du plat et laisser refroidir. Couvrir et mettre au réfrigérateur une nuit. Pour servir, passer une spatule métallique le long des parois du moule et démouler sur un plat de service.

crèmes brûlées
à la mangue

ingrédients

POUR 4 PERSONNES

2 mangues

250 g de mascarpone

200 ml de yaourt à la grecque

1 cuil. à café de gingembre
en poudre

zeste râpé et jus d'un citron

2 cuil. à soupe de vergeoise
blonde

8 cuil. à soupe de cassonade

méthode

1 Couper les mangues dans la hauteur de chaque côté du noyau, jeter le noyau et peler la chair. Hacher et répartir dans 4 ramequins.

2 Battre le mascarpone avec le yaourt, ajouter le gingembre, le jus de citron, le zeste et la vergeoise blonde. Répartir la préparation dans les ramequins, lisser la surface et mettre au congélateur 2 heures.

3 Parsemer de cassonade de façon à recouvrir la préparation et passer au gril 2 à 3 minutes, jusqu'à ce que le sucre ait fondu et doré. Laisser refroidir et réserver au réfrigérateur. Consommer le jour même.

crèmes au mascarpone

ingrédients

POUR 4 PERSONNES

115 g de biscuits amaretti,
   émiettés

4 cuil. à soupe d'amaretto

4 œufs, blancs et jaunes
   séparés

55 g de sucre en poudre

225 g de mascarpone

amandes effilées grillées,
   pour décorer

méthode

1 Dans une jatte, mettre les miettes de biscuits, ajouter l'amaretto et laisser tremper.

2 Battre les jaunes d'œufs avec le sucre jusqu'à ce que le mélange blanchisse, incorporer le mascarpone et les miettes de biscuits.

3 Battre les blancs d'œufs en neige ferme, incorporer progressivement à la préparation précédente et répartir le tout dans 4 coupes à glace. Mettre au réfrigérateur 1 à 2 heures, parsemer d'amandes effilées et servir immédiatement.

crème dessert au chocolat

ingrédients

POUR 4 À 6 PERSONNES

175 g de chocolat à 70 %
    de cacao, cassé
    en morceaux

1 1/2 cuil. à soupe de jus
    d'orange

3 cuil. à soupe d'eau

30 g de beurre, coupé en dés

2 œufs, blancs et jaunes
    séparés

1/8 de cuil. à café de crème
    de tartre

3 cuil. à soupe de sucre
    en poudre

6 cuil. à soupe de crème
    fraîche

praliné pistache-orange

huile de maïs, pour graisser

55 g de sucre en poudre

55 g de pistaches
    décortiquées

zeste finement râpé
    d'une orange

méthode

1 Dans une casserole, mettre le chocolat, le jus d'orange et l'eau, chauffer à feu doux sans cesser de remuer jusqu'à ce que le chocolat ait fondu. Retirer du feu, ajouter le beurre et remuer jusqu'à ce qu'il ait fondu. Transférer dans une jatte, incorporer les jaunes d'œufs battus et laisser refroidir.

2 Battre les blancs en neige ferme avec la crème de tartre, incorporer le sucre, 1 cuillerée à soupe à la fois, en battant bien après chaque ajout, jusqu'à obtention d'une meringue brillante. Incorporer 1 cuillerée à soupe de meringue à la préparation précédente et ajouter la meringue restante.

3 Dans une autre jatte, fouetter la crème fraîche, incorporer à la préparation et répartir le tout dans des coupes à dessert ou un grand plat de service. Couvrir de film alimentaire, mettre au réfrigérateur et laisser reposer 4 heures.

4 Pour le praliné, graisser une plaque et réserver. Dans une casserole, mettre les pistaches et le sucre, chauffer à feu moyen jusqu'à ce que le sucre soit dissous et remuer jusqu'à ce qu'il se transforme en caramel et que les pistaches commencent à éclater. Verser immédiatement sur la plaque, parsemer de zeste d'orange et laisser prendre. Hacher grossièrement et garnir les crèmes au chocolat.

pudding estival

ingrédients

POUR 6 PERSONNES

675 g d'un mélange de fruits
    tels que groseilles, cassis,
    myrtilles ou framboises

140 g de sucre en poudre

2 cuil. à soupe de crème
    de framboise (facultatif)

6 à 8 tranches de bon pain
    blanc rassis, croûte retirée

crème fraîche épaisse,
    en garniture

méthode

1 Dans une casserole, mettre les fruits et le sucre, porter à ébullition à feu très doux sans cesser de remuer délicatement jusqu'à ce que le sucre soit dissous. Cuire 2 à 3 minutes à feu très doux, jusqu'à ce que les fruits rendent leur jus, sans se déliter. Incorporer éventuellement la crème de framboise.

2 Chemiser un moule à pudding d'une contenance de 875 ml avec quelques-unes des tranches de pain en les recoupant aux dimensions si nécessaire et répartir le contenu de la casserole dans le moule en réservant un peu de jus.

3 Couvrir le tout avec les tranches de pain restantes, ajouter une assiette et lester. Mettre au réfrigérateur et laisser reposer 8 heures.

4 Démouler le pudding, napper avec le jus réservé de façon à colorer les zones de pain restées blanches et servir garni de crème fraîche épaisse.

abricots rôtis au miel

ingrédients

POUR 4 PERSONNES

beurre, pour graisser

4 abricots, coupés en deux
et dénoyautés

4 cuil. à soupe d'amandes
effilées

4 cuil. à soupe de miel

1 pincée de noix muscade
ou de gingembre en poudre

crème glacée à la vanille,
en accompagnement
(facultatif)

méthode

1 Beurrer un plat allant au four assez grand pour contenir les moitiés d'abricots en une seule couche.

2 Répartir les abricots dans le plat, côté coupé vers le haut, parsemer d'amandes effilées et arroser de miel. Saupoudrer de noix muscade ou de gingembre.

3 Cuire au four préchauffé 12 à 15 minutes à 200 °C (th. 6-7), jusqu'à ce que les abricots soient tendres et les amandes dorées. Sortir du four et servir immédiatement, garni éventuellement de crème glacée à la vanille.

tarte aux pommes

ingrédients

POUR 6 PERSONNES

pâte

200 g de farine, un peu plus
    pour saupoudrer

100 g de beurre, coupé
    en dés, un peu plus
    pour graisser

50 g de sucre glace, tamisé

zeste finement râpé
    d'un citron

1 jaune d'œuf, battu

3 cuil. à soupe de lait

garniture

3 pommes à cuire

2 cuil. à soupe de jus
    de citron

zeste finement râpé
    d'un citron

150 ml de miel liquide

175 g de chapelure blanche
    ou blonde

1 cuil. à café de poudre
    de quatre-épices

1 pincée de noix muscade
    fraîchement râpée

crème fraîche épaisse fouettée,
    en accompagnement

méthode

1 Pour la pâte, tamiser la farine dans une jatte, incorporer le beurre avec les doigts de façon à obtenir une consistance de chapelure et ajouter le sucre, le zeste de citron, le jaune d'œuf et le lait. Pétrir brièvement sur un plan fariné et laisser reposer 30 minutes.

2 Abaisser la pâte de sorte qu'elle ait 5 mm d'épaisseur et foncer un moule à tarte de 20 cm de diamètre.

3 Pour la garniture, évider 2 pommes, râper et transférer dans une jatte. Ajouter 1 cuillerée à soupe de jus de citron, le zeste, le miel, la chapelure et la poudre de quatre-épices, mélanger et répartir sur le fond de tarte.

4 Évider la pomme restante, couper en lamelles et répartir sur la garniture. Enduire du jus de citron restant, saupoudrer de noix muscade et cuire au four préchauffé 35 minutes à 200 °C (th. 6-7), jusqu'à ce que la garniture soit ferme. Retirer du four et servir accompagné de crème fouettée.

riz au lait

ingrédients

POUR 4 PERSONNES

1 cuil. à soupe de beurre,
   pour graisser

85 g de raisins secs

5 cuil. à soupe de sucre
   en poudre

90 g de riz rond

1,25 l de lait

1 cuil. à café d'extrait
   de vanille

zeste finement râpé
   d'un citron

1 pincée de noix muscade

pistaches concassées,
   en décoration

méthode

1 Beurrer un plat allant au four d'une
contenance de 875 ml.

2 Dans une jatte, mettre les raisins secs,
le sucre et le riz, ajouter le lait et l'extrait de
vanille, et bien mélanger le tout. Transférer
dans le plat, parsemer de zeste de citron
et saupoudrer de noix muscade. Cuire au four
préchauffé 2 h 30 à 160 °C (th. 5-6).

3 Sortir du four, répartir dans des ramequins
et décorer de pistaches concassées.

petits banoffees

ingrédients

POUR 4 PERSONNES

2 boîtes de lait concentré
sucré de 400 ml chacune

6 cuil. à soupe de beurre
fondu

150 g de petits-beurre,
émiettés

50 g d'amandes, grillées
et hachées

50 g de noisettes, grillées
et hachées

4 bananes mûres

1 cuil. à soupe de jus
de citron

1 cuil. à café d'extrait
de vanille

75 g de copeaux de chocolat

450 ml de crème fraîche
épaisse, fouettée

méthode

1 Dans une casserole, mettre les boîtes de lait concentré, couvrir d'eau et porter à ébullition. Réduire le feu et laisser mijoter 2 heures, en ajoutant de l'eau au fur et à mesure de l'évaporation de sorte que les boîtes restent immergées. Retirer de la casserole et laisser refroidir.

2 Beurrer 4 moules à tartelettes à fond amovible. Dans une jatte, mettre le beurre restant, ajouter les miettes de biscuits, les amandes et les noisettes, et bien mélanger. Presser le mélange obtenu dans les moules et cuire au four préchauffé 10 à 12 minutes à 180 °C (th. 6). Sortir du four et laisser refroidir.

3 Ouvrir les boîtes de lait concentré et répartir le contenu sur les fonds de tartelettes. Peler les bananes, couper en rondelles et mettre dans une jatte. Ajouter le jus de citron et l'extrait de vanille, bien mélanger et répartir le tout sur le lait concentré. Garnir de crème fouettée, parsemer de copeaux de chocolat et servir immédiatement.

tartelettes aux myrtilles

ingrédients

POUR 2 PERSONNES

4 feuilles de pâte filo

huile en spray

200 g de mascarpone

1 cuil. à café de miel

1 cuil. à soupe de zeste
    de citron

3 cuil. à soupe de jus de citron

1 cuil. à café de sucre

100 g de myrtilles fraîches

méthode

1 Découper un rond de 14 cm de diamètre dans chaque feuille de pâte filo, huiler chaque rond et les superposer deux par deux. Foncer 2 moules de 10 cm de diamètre et piquer le fond à l'aide d'une fourchette.

2 Placer un ramequin au centre des moules de façon à mettre la pâte en forme et cuire au four préchauffé 5 minutes à 180 °C (th. 6). Retirer les ramequins et cuire encore 4 à 5 minutes, jusqu'à ce que la pâte soit cuite. Sortir du four et laisser tiédir dans les moules. Réserver dans un récipient hermétique de sorte que les fonds de tartelettes restent croustillants.

3 Mélanger le mascarpone et le miel.

4 Dans une casserole, mettre le sucre, le jus de citron et le zeste, chauffer à feu doux jusqu'à ce que le liquide soit évaporé et ajouter les myrtilles à l'aide d'une cuillère métallique. Retirer du feu et réserver au chaud.

5 Disposer chaque fond de tarte sur une assiette, garnir de mascarpone au miel et ajouter le mélange à base de myrtilles.

tarte du Mississippi

ingrédients

POUR 8 PERSONNES

pâte

250 g de farine, un peu plus
   pour saupoudrer

2 cuil. à soupe de cacao
   en poudre

140 g de beurre, coupé
   en dés

2 cuil. à soupe de sucre
   en poudre

1 à 2 cuil. à soupe d'eau
   froide

garniture

175 g de beurre

250 g de sucre roux

4 œufs, légèrement battus

4 cuil. à soupe de cacao
   en poudre, un peu plus
   pour décorer

150 g de chocolat noir

300 ml de crème fraîche
   liquide

1 cuil. à café d'extrait
   de chocolat

425 ml de crème fraîche
   épaisse fouettée
   et copeaux de chocolat,
   en garniture

méthode

1 Pour la pâte, tamiser la farine et le cacao dans une jatte, incorporer le beurre avec les doigts de façon à obtenir une consistance de chapelure et ajouter le sucre et assez d'eau pour obtenir une pâte souple. Envelopper de film alimentaire et mettre au réfrigérateur 15 minutes.

2 Sur un plan fariné, abaisser la pâte et foncer un moule à tarte à charnière de 23 cm de diamètre. Chemiser de papier sulfurisé, garnir de haricots secs et cuire à blanc au four préchauffé 15 minutes à 190 °C (th. 6-7). Sortir du four, retirer le papier sulfurisé et les haricots, et cuire encore 10 minutes.

3 Pour la garniture, battre le beurre en crème avec le sucre et incorporer progressivement les œufs et le cacao. Faire fondre le chocolat noir, incorporer à la préparation précédente et ajouter le crème fraîche liquide et l'extrait de chocolat.

4 Réduire la température du four à 160 °C (th. 5-6). Répartir la garniture sur le fond de tarte et cuire 45 minutes, jusqu'à ce que la garniture ait légèrement pris. Laisser refroidir complètement et transférer dans un plat de service.

5 Couvrir de crème fouettée et de copeaux de chocolat, et réserver au réfrigérateur jusqu'au moment de servir.

tarte aux châtaignes & aux noix de pécan

ingrédients

POUR 6 PERSONNES

pâte

115 g de farine, un peu plus
   pour abaisser la pâte

1 pincée de sel

75 g de beurre froid, coupé
   en dés, un peu plus pour
   graisser

eau froide

garniture

1 kg de crème de marron

300 ml de crème fraîche
   épaisse

2 cuil. à soupe de beurre

2 cuil. à soupe de sirop
   d'érable

175 g de noix de pécan

méthode

1 Graisser un moule à tarte à fond amovible de 22 cm de diamètre. Dans un robot de cuisine, tamiser la farine et le sel, ajouter le beurre et mixer jusqu'à obtention d'une consistance de farine. Transférer dans une jatte et ajouter juste assez d'eau froide pour obtenir une pâte souple. Sur un plan fariné, abaisser la pâte en un rond de 30 cm de diamètre, foncer le moule et retirer l'excédent de pâte à l'aide d'un rouleau à pâtisserie. Chemiser de papier sulfurisé, garnir de haricots secs et mettre au réfrigérateur 30 minutes.

2 Cuire au four préchauffé 15 minutes à 190 °C (th. 6-7), retirer le papier sulfurisé et les haricots, et cuire encore 10 minutes.

3 Fouetter la crème fraîche, incorporer à la crème de marron et répartir sur le fond de tarte. Mettre au réfrigérateur 2 heures. Dans une casserole, mettre le sirop d'érable et le beurre, porter à ébullition et ajouter les noix de pécan. Chauffer encore 1 à 2 minutes sans cesser de remuer, étaler sur du papier sulfurisé et laisser refroidir. Répartir les noix de pécan sur la tarte juste avant de servir.

tarte au chocolat & au fudge

ingrédients

POUR 6 À 8 PERSONNES

farine, pour saupoudrer

350 g de pâte brisée prête
    à l'emploi

sucre glace, pour saupoudrer

garniture

140 g de chocolat noir,
    finement haché

175 g de beurre, coupé
    en dés

350 g de sucre semoule brun

100 g de farine

1/2 cuil. à café d'extrait
    de vanille

6 œufs, battus

sucre glace

150 ml de crème fouettée
    et de cannelle, pour
    décorer

méthode

1 Abaisser la pâte sur un plan fariné et foncer un moule à tarte de 20 cm de diamètre à fond amovible. Piquer à l'aide d'une fourchette, chemiser de papier sulfurisé et garnir de haricots secs. Cuire au four préchauffé 12 à 15 minutes à 200 °C (th. 6-7), jusqu'à ce que la pâte ait perdu de son humidité. Retirer le papier sulfurisé et les haricots et cuire encore 10 minutes, jusqu'à ce que la pâte soit ferme. Sortir du four et laisser refroidir. Réduire la température du four à 180 °C (th. 6).

2 Pour la garniture, mettre le chocolat et le beurre dans une jatte résistant à la chaleur, disposer sur une casserole d'eau frémissante et remuer jusqu'à obtention d'une consistance homogène. Retirer du feu et laisser refroidir. Dans une autre jatte, mettre le sucre, la farine, l'extrait de vanille et les œufs, mélanger le tout et incorporer le chocolat fondu.

3 Répartir le tout sur le fond de tarte et cuire au four 50 minutes, jusqu'à ce que la garniture ait pris. Transférer sur une grille et laisser refroidir complètement. Saupoudrer de sucre glace et garnir de crème fouettée et de cannelle.

fromage de chèvre aux figues

ingrédients

POUR 4 PERSONNES

200 ml de yaourt au fromage
de chèvre

1/4 de cuil. à café de poudre
de quatre-épices

1 cuil. à café de sirop
d'érable

1/4 de cuil. à café d'extrait
de vanille

15 g de figues sèches, très
finement hachées

1 blanc d'œuf

4 figues fraîches, 1/4 de cuil.
à café de sirop d'érable
et feuilles de menthe
fraîche, pour décorer

méthode

1 Dans une terrine, mettre le yaourt, la poudre
de quatre-épices, le sirop d'érable, l'extrait
de vanille et les figues sèches, et bien
mélanger le tout.

2 Dans une autre jatte, monter le blanc d'œuf
en neige, incorporer au mélange précédent
à l'aide d'une cuillère métallique et répartir
le tout dans 4 ramequins allant au four.

3 Mettre les ramequins dans un plat, verser
de l'eau bouillante dans le plat de sorte que
les ramequins soient immergés à demi et cuire
au four préchauffé 15 minutes à 140 °C
(th. 4-5), jusqu'à ce que la préparation ait pris.

4 Retirer du four et servir garni de figues
fraîches, arrosé de sirop d'érable et parsemé
de feuilles de menthe fraîche.